Querida

Que este pequeño libro te sea de gran utilidad en este proceso de ser madre, que disfrutes tu embarazo y que tengas un bebé sano y hermoso.

Magui

Bebés Tiernos

Aceites Esenciales y Remedios Naturales para
el Embarazo, el Parto, los Bebés y los Niños Pequeños

Debra Raybern, N.D., M.H., C.N.C., I.C.A.

ISBN: 978-0-9816954-9-5
Impreso en Estados Unidos de América

Growing Healthy Homes LLC
P.O. Box 3154
Bartlesville, OK 74006

Para obtener copias adicionales de este libro,
favor visitar www.GrowingHealthyHomes.com

Descargo de responsabilidad: La información que contiene este libro es para fines educativos solamente y no está diseñada como diagnóstico, tratamiento o prescripción para ninguna enfermedad. Aunque los aceites esenciales han sido usados durante siglos teniendo siempre resultados beneficiosos y todos los contribuyentes han obtenido beneficios poderosos con su uso, se le aconseja al lector consultar a un profesional de la salud de su elección, antes de usar los aceites esenciales. El contenido de este libro no necesariamente refleja las opiniones de Young Living Essential Oils, LC, Lehi Utah, (YL) y es producido por Distribuidores Independientes. Todas las marcas son usadas con permiso. No son responsables ni el autor, la editorial, los colaboradores o Young Living Essential Oils (YL) por el uso o mal uso de ninguno de estos productos. La decisión de utilizar o no utilizar alguna de esta información es la responsabilidad exclusiva del lector. Además, todas y cada una de las recomendaciones de los aceites esenciales se aplican sólo a YL.

A Sharon, y sus futuras bendiciones.

A Paul – Te extrañamos enormemente.

Dedicatoria

Para todas las madres y futuras madres alrededor del mundo que deseen abordar la maternidad de manera más natural, y creen que el embarazo no es una enfermedad, sino mas bien un tiempo gozoso en sus vidas mientras esperan la llegada de sus bendiciones.

"Tu esposa será como vid que lleva fruto a los lados de tu casa; tus hijos como plantas de olivo alrededor de tu mesa."
Salmos 128:3

Reconocimientos

Gracias a las muchas madres que han usado los aceites esenciales de grado terapéutico con gran éxito y compartieron sus testimonios y sugerencias, lo que ha hecho posible este libro.

Gracias a D. Gary Young, N.D., por establecer "Young Living Essential Oils," para que podamos beneficiarnos de las virtudes de los verdaderos aceites esenciales. Sin estos aceites este libro nunca se hubiese escrito.

Gracias específicamente a Beverly Boytim, Karen Douglas y Sera Johnson por llevar un registro de los aceites esenciales y otros productos naturales según los usaron, para ver lo que funcionaba y lo que no.

Gracias a Hasso Wittboldt-Mueller, N.D., cuyo panfleto me inspiró a recopilar más sugerencias respecto a los aceites y a escribir este libro.

Gracias a Laura Hopkins por editar y asistir en el diseño.

Gracias a "Growing Healthy Homes LLC" por publicar este pequeño, pero impresionante libro.

Gracias a mi hija, Sharon, la que más se sacrificó, al permitir que su mamá se tomara el tiempo necesario para completar este libro.

Gracias a mi Señor y Salvador Jesucristo, quien me puso en la senda que incluyó este libro.

Debra Raybern

Debra Raybern, N.D., M.H., C.N.C., I.C.A.

Tabla de Contenido

Información importante 7

Prefacio 8

Introducción 13

Precauciones 15

Cuándo buscar atención médica 16

¿Qué son los aceites esenciales? 17

¿Cómo usar los aceites esenciales? 19

Pérdida del embarazo 32

Guía de síntomas 34

Guía de nutrición 82

Kits para el nacimiento 87

El baúl de la salud de la "Doctora" Mamá 89

Testimonios 90

Acerca de la autora 108

Productos Young Living 109

Ordenar productos Young Living 111

Índice 112

Información Importante

Los aceites esenciales puros de grado terapéutico, y productos naturales a los que se hace referencia en este libro son exclusivamente producidos por Young Living Essential Oils (YL). Después de cuidadosas investigaciónes y estudios, es la opinión de la autora y de los colaboradores, que ninguna otra marca de aceites esenciales tiene el poder y la pureza que es absolutamente imprescindible para todos, pero especialmente para mujeres embarazadas, madres lactantes y niños pequeños.

"Por lo cual te aconsejo que avives el don de Dios que está en ti por la imposición de mis manos. Porque no nos ha dado Dios un espíritu de temor, sino de poder, y de amor, y de dominio propio." 2 Timoteo 1:6-7

La palabra griega usada en este pasaje para temor es deilia, que significa timidez, y su raíz deilos, es definida como incrédulo. Este temor no es externo, es una lucha interior. De acuerdo con D. Gary Young, fundador de Young Living, el "T-E-M-O-R es un falso sentimiento que parece real." Utilice los aceites recomendados en este libro, lleno de fe y sin timidez. Miles de madres ya lo han hecho.

Young Living (YL) es una compañía de aceites esenciales localizada en los Estados Unidos de América. Young Living Essential Oils (YLEO) son aceites puros de grado terapéutico y que han sido probados minuciosamente. Las mezclas de los aceites son marcas registradas™ o productos de marcas registradas® propias, exclusivas y producidas por Young Living.

Prefacio

En el 1991, mientras buscaba terapias complementarias y alternativas para mi hija, conocí por primera vez a la aromaterapia y a los aceites esenciales. Al nacer, mi hija aspiró meconio; la primera materia fecal de los recién nacidos, una sustancia viscosa y pastosa con apariencia de brea, el cual enveneno su sistema. A los siete meses de nacida tuvo un caso severo de pulmonía, y literalmente se murió en brazos de mi esposo mientras nos apresurábamos para llegar al hospital. Milagrosamente, Dios nos la devolvió, y durante los próximos diez días vivimos en la unidad de cuidados intensivos del hospital.

Cuando ella tenía tres años, un equipo de médicos me dijo que ella era retrasada mental y que no había nada más que se pudiera hacer por ella. Me negué a aceptar su diagnóstico y empecé a investigar alternativas de salud y nutrición. Si alguien me decía que tenia algo que podría ayudar a mi hija, inmediatamente verificaba la información. Un día recibí una llamada telefónica de una amiga, Mary, preguntándome si yo sabía algo acerca de la aromaterapia. Ella me habló de la compañía Young Living, y de su fundador Gary Young. Me sugirió que tratara dos mezclas de los aceites esenciales, Peace & Calming y Clarity. Cuando encontré la investigación del Dr. Jean-Claude LaPraz examinando los efectos de los aceites esenciales, estuve tan impresionada que empecé a experimentar con los aceites esenciales Young Living con mi hija. Mi esposo y yo estábamos increíblemente contentos al ver los cambios significativos y positivos en sus habilidades. Los cambios eran tan substanciales, que sus maestros y los padres de sus amistades empezaron a preguntarme que yo estaba haciendo. Era asombroso ver el progreso de mi hija. Ella paso de ser diagnosticada como retrasada a graduarse de universidad.

Los conocimientos que adquirí con el pasar de los años me permitió escoger la información correcta, dejar a mi mente crecer y cuidar de mi familia y de mí misma. Es por esta razón que invierto miles de dólares al año en libros, cintas de audio y discos de video digital (DVDs) que proveen conocimientos.

Bebés Tiernos está lleno de los conocimientos más importantes; se trata de ti, y de cómo cuidar de ti y de tu familia con los aceites esenciales y los remedios naturales. Este maravilloso e innovador libro, escrito por una escritora talentosa, generosa e inteligente, te apoyará a ti y a tu familia respecto al uso de los aceites esenciales en tu vida diaria. De todo corazón, yo se lo recomiendo a cada familia para mejorar su salud y como un recurso adicional en su hogar.

– Marsella Bonn Harting, Ph.D. candidata en Neuropsicología y Medicina Integrativa

• • • • •

El uso de los aceites esenciales se remonta a tiempos antiguos, sin embargo nunca han sido tan necesarios para nuestra sociedad como lo son hoy en día. El uso excesivo de los medicamentos 'milagrosos' de la medicina moderna ha creado un tiempo potencialmente peligroso en nuestro mundo, mucho más de lo que la comunidad de la ciencia médica pudo haber anticipado.

Afortunadamente, hay respuestas que proveen una manera para protegernos a nosotros mismos, a nuestra familia y amistades de estos peligrosos potenciales. La respuesta es usando los aceites esenciales puros de grado terapéutico.

Como es de imaginar, durante nuestros doce años que llevamos usando los productos de Young Living diariamente, no solamente hemos adquirido una mejor forma de vida a través de una buena salud y longevidad, también hemos disfrutado de muchas experiencias increíbles. Como este libro esta dedicado al embarazo, al parto y al cuidado del recién nacido, me gustaría compartir algunas de las experiencias que hemos tenido con nuestros nietos y los productos de YL.

Estábamos en nuestra cabaña de verano y una de nuestras hijas y su familia estaban con nosotros por el fin de semana. El hijo menor de mi hija tenía solo meses de nacido y tenia una fiebre alta. Yo abrí mi bolsa de aceites y procedí a administrar los aceites en su pequeño cuerpo. Use el aceite Spearmint (menta) de YL en su espalda, estómago, frente, sien y pies varias veces en el transcurso de una hora. Después, moje una toallita en agua fría con Peppermint (hierba buena) añadido y le pase la toallita cuidadosamente para refrescar su cuerpo sin que le diera frío. También le puse Spearmint (menta) en el agua de baño y lo deje remojar en la bañera hasta que el agua se refrescó y después le frote R.C. en su pecho y pies. Esto le quito su fiebre, y en cuestión de horas el estaba de vuelta a la normalidad.

Nuestra hija menor usó los aceites esenciales y suplementos de YL durante sus dos embarazos. Ella los usaba para combatir las nauseas y para prevenir las estrías. Ella es una pelirroja de baja estatura, y no tiene ninguna estría, aún después de tener dos hijos. Usó los suplementos para ayudar a mantener su cuerpo funcionando adecuadamente mientras le daba buena nutrición a su bebé. Los usó en el proceso del parto con gran éxito. Los uso al momento del nacimiento, ungiendo a los bebés inmediatamente con Frankincense (incienso) y usando Myrrh (mirra) en los cordones umbilicales para protección contra infecciones, además de ayudarlos a sanar. Ella incorporo los aceites que Debra menciona en este libro, y otros de su elección que se sintió inspirada a usar.

Tenemos otro nieto que desde su nacimiento tenia la nariz acatarrada y nada parecía ayudarle. Cuando el tenia alrededor de tres años le dimos una bebida de NingXia Red. A el le gustó y quería más, y su nariz acatarrada paro y nunca regreso. Eso fue otra confirmación del poder de los aceites esenciales de YL y los productos mejorados con aceites esenciales.

Conocimos a Debra muchos años atrás y sabíamos que ella era alguien muy especial. Ha sido un placer ver su crecimiento en YL. Ella ha logrado enormes éxitos en su búsqueda del bienestar natural. Su dedicación en ayudar a otros a encontrar la salud y el bienestar natural a través de la naturopatía tradicional, hierbas y aceites esenciales es digna de elogios.

Bien hecho, Debra. Será un privilegio para mi el tener tu libro en mi biblioteca y definitivamente lo compartiré con otros. Estoy segura que verás el día en que la información contenida aquí será el sostén principal para las multitudes.

– Shauna Dastrup, amiga y asociada en el camino de la salud, el bienestar y prosperidad.

• • • • •

Habiendo tenido la oportunidad de estudiar con Daniel Pénoël, M.D., Jean-Claude LaPraz, M.D., y los médicos en el "First Aromatic Medicine Congress" en Grasse, Francia, le pregunté a estos expertos sobre las contraindicaciones durante el embarazo. Cada uno de los médicos que entrevisté me aseguró que los aceites esenciales son seguros para las mujeres embarazadas y que los aceites esenciales pueden, de hecho, ofrecer muchos beneficios.

Frecuentemente comparto esta información con estudiantes en clases de manera que si una mujer se da cuenta que está embarazada, no se vaya a preocupar sobre los aceites que usó antes de saber de su embarazo. En los catorce años que llevo usando y compartiendo los aceites esenciales, yo se de muchas, muchas mujeres que han usado los aceites esenciales prolíficamente durante el embarazo con resultados excelentes y sin observar efectos perjudiciales.

Entiendo que aún no sabemos todo sobre la seguridad de los aceites esenciales y por eso exhorto a las mujeres que usen los aceites responsablemente y siempre sean prudentes y cautelosas. Yo sugiero que las mujeres se abstengan de usar cantidades substanciales de los aceites esenciales durante el embarazo y usen aquellos aceites que han comprobado a través del tiempo.

Adicionalmente, es prudente consultar las listas de contraindicaciones que han sido creadas en la literatura disponible para nosotros y, siempre que sea posible, adherirse a estas directrices.

Ya es tiempo de que nos acojamos a una modalidad de sanación que puede tener beneficios profundos para la mujer y sus familias. Debra Raybern ha creado un libro que contiene una abundancia de información sobre como las mujeres en todas partes pueden usar los aceites esenciales con seguridad, para ayudarse ellas mismas y sus familias a vivir vidas largas, saludables y felices. A nombre de las mujeres en todas partes, te doy las gracias, Debra, por escribir este libro para nosotras.

– Vicky Opfer, C.N.C.

Introducción

"Y aconteció que cuando oyó Elizabet la salutación de Maria, la criatura salto en el vientre..." Lucas 1:41

El embarazo es uno de los momentos más gozosos en la vida de una mujer. En estos tiempos en que la medicina convencional y las terapias frecuentemente resultan contraindicadas, el uso de protocolos naturales y aceites esenciales de grado terapéutico pueden asistir a la futura mamá en una amplia variedad de condiciones y experiencias como las nauseas, el estrés, el parto, el nacimiento y el cuido después del nacimiento, tanto a la mamá como al bebé.

Cada libro sobre el tema de la aromaterapia durante el embarazo varía ampliamente en sugerencias. Una razón para que esto sea así, es que existen tres modelos separados de aromaterapia: el Alemán, el Británico y el Francés. El modelo Alemán siempre enfatiza la inhalación y la dilución extrema. El modelo Británico también recomienda la dilución, pero se concentra más en los beneficios del masaje. El modelo Francés usa las otras dos formas y la ingestión oral de los aceites esenciales terapéuticos grado-A. El trabajo de Daniel Pénoël, M.D., "Natural Home Health Care Using Essential Oils," 1998, demostró que tomando los aceites esenciales específicos en el cuerpo no solo era seguro pero muy efectivo mientras otras modalidades no lo eran.

El pionero de los aceites esenciales y globalmente conocido experto en el campo de cultivo, cosecha, destilación, mezcla y uso de los aceites esenciales, D. Gary Young ha recorrido el mundo, aprendiendo de cada modelo. Como fundador de los Aceites Esenciales Young Living (YL), ha combinado lo mejor de cada modelo para traernos una forma única de usar los aceites esenciales, además de nuevas, e innovadoras técnicas, dándole poder a personas mundialmente para que tomen control de su salud y bienestar.

Este libro sugiere combinar todas las modalidades, pero la seguridad y efectividad de estas recomendaciones se encuentra únicamente usando la marca YL de aceites esenciales de grado terapéutico. Debido a la pureza y calidad de estos aceites en específico, los contribuidores de este libro no endorsan ninguna otra marca de aceites esenciales.

Para citar al Dr. Pénoël, "Yo prefiero tener una sola gota de aceite esencial genuino que 55 galones de un producto basura."

Todas las recetas y recomendaciones que aparecen en este libro han sido usadas en miles de madres y sus bebés y niños sin ningún efecto dañino. De vez en cuando, se incluye una sugerencia de hierba normal. Estas han sido seleccionadas por su seguridad y efectividad.

Te aplaudo por dedicar el tiempo para informarte sobre la salud de tu familia y aprender como puedes usar la medicina original de Dios - los aceites esenciales - para obtener una salud vibrante. Usando remedios naturales requiere más esfuerzo que la creencia tradicional de "tómate esta pastilla y me llamas en la mañana." El tiempo invertido valdrá la pena y resultará beneficioso para tu salud y la de tu familia.

Espero que tu empieces a sentir los cientos de miles de beneficios diarios que provee el uso de los aceites esenciales y los productos de los aceites esenciales para la salud, la casa y el cuerpo. Este es un proceso de gran auto-empoderamiento; es una alegría el poder tomar responsabilidad de nuestra propia salud y ver los maravillosos beneficios. Por favor toma notas y apunta tus descubrimientos según vas usando estos productos.

De seguro que este libro será un proyecto que nunca terminará, a medida que más familias se beneficien del mismo y compartan sus testimonios. Por favor comparte conmigo sus testimonios vía hannah@growinghealthyhomes.com.

Precauciones

Solo usa los Aceites Esenciales Young Living (YL), que garanticen proveer 100 por ciento pureza, aceites de grado terapéutico (YLTG™) producidos de plantas cuidadosamente identificadas con perfiles químicos naturales que igualan o superan los estándares mundiales reconocidos. En adición, YL tiene su propio estándar interno, comprensivo y riguroso, que es un prerrequisito esencial para adquirir los resultados terapéuticos sin producir efectos secundarios perjudiciales.

Evite los aceites cítricos en áreas de la piel que estén expuestas a la luz directa del sol por lo menos doce horas para evitar fotosensibilidad.

Diluye todos los aceites esenciales para bebés. Cuando en duda, mezcla en combinación de 1:30. Esto es una parte o gota de un aceite esencial y treinta partes o gotas de aceite portador, como el aceite portador V-6 de YL aceite vegetal complejo mejorado.

Usando los aceites puros "neat" o sin diluir va a crear una tendencia para que el aceite se evapore más rápidamente. Usando un aceite portador como el V-6 también va a crear un efecto más sostenido y reduce la posibilidad de sobre-sensitividad, especialmente en recién nacidos.

La sensitividad a los aceites esenciales de YL es muy rara. Típicamente, cuando hay sensitividad, es porque se ha usado una marca diferente de aceites químicamente adulterados, o porque fueron usados en exceso causando que el sistema se sobrecargara.

Evita usar productos para el cuidado de la piel como champús y lociones que contienen petroquímicos, ya que son contraproducentes a los aceites esenciales grado terapéutico puros.

A menudo, los siguientes son mencionados en las guías de los aceites de aromaterapia que se deben evitar durante el embarazo:

Basil (albahaca), Birch (abedul), Calamus (cálamo), Cassia (casia), Cinnamon Bark (corteza de canela), Hyssop (hisopo), Idaho Tansy (atanasia o tanaceto de Idaho), Lavandin (una forma de lavanda que frecuentemente se vende en tiendas), Rosemary (romero), Sage (salvia) y Tarragon (estragón). Este libro hace algunas menciones del uso de estos aceites, bien sean solos o en combinación. Históricamente, ha habido casos donde aceites esenciales de grado no terapéutico (adulterado, sintético y de mala calidad) posiblemente han causado problemas durante el embarazo. Las muchas madres que han contribuido a este libro han usado todos los aceites mencionados en la forma sugerida sin problemas porque usaron la marca de YL. La diferencia es la calidad.

En su libro "Clinical Aromatherapy: Essential Oils in Practice," Jane Buckle, Ph.D., R.N., dice "No ha habido registro de fetos con anomalías o fetos abortados debido al uso normal de los aceites esenciales, ya sea por inhalación o aplicación sobre la piel. Tampoco hay registro de que unas gotas de aceites esenciales tomados por boca causen ningún problema."

Cuándo buscar atención médica

Mientras que la mayoría de los síntomas mencionados en este libro son dolencias cotidianas, mamá puede manejarlos en el hogar con confianza; pero es importante saber cuándo buscar atención médica.

Las siguientes condiciones requieren atención inmediata de una comadrona o doctor:

• Sangrado vaginal.

• Sangrado arterial, caracterizado por chorros al unísono con cada latido del corazón, de color rojo brillante, y usualmente severo y difícil de controlar.

• Letargo, debilidad, y dificultad para despertar.

• Cuello rígido con dolor de cabeza, e incapaz de tocar el pecho con la barbilla.

• Protuberancia en la fontanela del bebé (parte blanda en la cabeza del bebé).

• Huesos quebrados.

• Deshidratación, que incluye labios y boca seca, y sin orinar por seis horas.

• Reacciones alérgicas severas a picadas de abejas, avispas u otros insectos, produciendo hinchazón en la garganta y la lengua y dificultad al respirar.

• Rayas rojas en la piel proveniente de un foco de infección, posiblemente indicando un envenenamiento en la sangre.

• Quemaduras que cubren un área mayor que el tamaño de una mano, o quemaduras de segundo y tercer grado que se han infectado.

¿Que son los aceites esenciales?

"*Toda buena dádiva y todo don perfecto desciende de lo alto, del Padre de las luces, en el cual no hay mudanza, ni sombra de variación.*" *Santiago 1:17*

Los aceites esenciales son líquidos aromáticos y volátiles extraídos de plantas. El aceite puede ser obtenido de las semillas, las raíces, del arbusto completo, las flores, las hojas y los árboles. Cada planta puede contener cientos de compuestos químicos moleculares con nombres como terpenos, sesqui terpenos, fenoles y aldehídos, para nombrar algunos. La Biblia contiene 188 referencias respecto al uso de los aceites esenciales o de las plantas de las cuales se derivan.

Los aceites esenciales son muy complejos y actualmente bajo mucho estudio por sus beneficios extraordinarios para nuestra salud. Por ejemplo, el Clary Sage (salvia sclarea) tiene 900 moléculas diferentes y el Lavender (lavanda) sobre 400.

Al igual que todas las cosas vivientes, los aceites esenciales tienen una frecuencia o nivel de energía. La frecuencia es una medida de energía eléctrica que es constante entre dos puntos. Bruce Tainio, fundador y presidente de Infinity Resources Inc., en Cheney, Washington, fue el primero en desarrollar la tecnología para medir la frecuencia de una substancia. Las plantas y sus frecuencias pueden variar de una planta a la otra.

La mayoría de los aceites esenciales de plantas son obtenidos por destilación con vapor para liberar los aceites valiosos de la planta. Solamente una compañía - Young Living Essential Oils (YL) - se ha ganado mi respeto y respaldo. El sofisticado y patentado proceso de destilación con vapor usado por YL, utiliza calor bajo, presión adecuada, sincronización precisa y por supuesto, plantas cultivadas y cosechadas correctamente para ofrecer aceites esenciales con una calidad y pureza incomparable en el mercado de hoy.

Este es un ejemplo de la importancia de la sincronización durante la destilación. El Cypress (ciprés) tiene doscientos ochenta constituyentes químicos conocidos, y todos ellos tienen que estar presentes para que el Cypress (ciprés) tenga el potencial medicinal y curativo. Si es destilado por veinte horas, solo veinte de las doscientos ochenta propiedades son liberadas. Si es destilado por veintiséis horas ninguna de las propiedades son liberadas. La mayoría de el Cypress (ciprés) disponible en el mercado de los EE.UU. es destilado por aproximadamente tres horas y media. El tiempo correcto para destilar Cypress (ciprés) es veinticuatro horas, liberando así todas las doscientas ochenta propiedades.

También, piensa en esto: producir una libra de aceite esencial de grado terapéutico Rose (rosa), se lleva 5,000 libras de pétalos de rosas. Esto es equivalente a un camión lleno de pétalos. Cualquier aceite Rose (rosa) que sea barato, básicamente no sirve, debido a la adulteración sintética y probablemente sea un riesgo para la salud.

Los aceites esenciales de YL se someten a numerosas pruebas de laboratorio, tanto dentro de la empresa como de manera independiente, y su clasificación cumple, y muchas veces excede, los criterios requeridos por la Asociación Francesa de Normalización (AFNOR: Association Francaise de Normalisation) y por la Organización Internacional de Estándares (ISO: International Standards Organization). Nunca son adulterados, ni mejorados de manera sintética o química. Si no dan el grado, no se les da la etiqueta de YL.

Los aceites baratos, sintéticos y diluidos son potencialmente tóxicos; por lo tanto, es muy importante solo usar los aceites esenciales de alta calidad y de una fuente de confianza – como salidos directo de las granjas. YL, el productor más grande de aceites e-senciales grado terapéutico en el mundo, tiene más de 4,500 acres de cultivo aromático donde los aceites son propiamente cultivados, cosechados, destilados y embotellados y donde se producen los aceites combinados.

El viejo adagio – lo barato sale caro – es especialmente cierto en la industria de los aceites esenciales.

¿Cómo usar los aceites esenciales?

"*Mirra, áloe y Casia exhalan todas tus vestiduras; desde palacios de marfil te han alegrado.*" *Salmos 45:8*

Hay muchas maneras de disfrutar de los aceites esenciales durante el embarazo, para el cuidado del recién nacido y para los niños pequeños. La sección de síntomas de este libro recomienda el uso de aceites específicos y el método de aplicación.

Una pauta general cuando usas los aceites esenciales es que las respuestas deben ocurrir relativamente rápido. Si no sucede nada dentro de un tiempo razonable después de haber aplicado el aceite, trata otro aceite recomendado que trabaje de manera similar. Mientras que los seres humanos son de la misma especie, todavía somos biológicamente diferentes y por lo tanto vamos a responder de diferentes formas a los productos naturales, como los aceites esenciales.

Adicionalmente, algunas personas son más sensitivas que otras. Debido a que los aceites esenciales son substancias altamente concentradas de plantas naturales, frecuentemente no se trata de la cantidad del aceite esencial utilizado en una determinada aplicación, sino de la frecuencia natural del aceite, lo que crea resultados poderosos. Esta es una de las razones por las cuales los remedios naturales difieren notablemente de la medicina occidental; porque la fortaleza de un aceite esencial viene a través de su habilidad para cambiar el cuerpo y las emociones, llegando a la raíz del problema en lugar de un sólo evento o síntoma aislado.

En cuanto a la dilución, usa un aceite portador como el de los Aceites Esenciales Young Living (YL) V-6™, aceite vegetal complejo mejorado, aceite de oliva, aceite de almendra, aceite jojoba u otro aceite graso orgánico con base de planta. Favor de notar que los aceites grasos, a diferencia de los aceites aromáticos, pueden ponerse rancios. Los aceites aromáticos puros que son guardados en un lugar fresco y seco en botellas de cristal de de color o de color ámbar oscuro no pondrán rancios.

Una cinta caminadora no ayuda a nadie a perder peso sino es usada a diario; tampoco puede una persona obtener el beneficio completo de los aceites esenciales sin usarlos regularmente. La información contenida en este libro provee instrucciones detalladas para cada aplicación.

INHALACIÓN

Coloca dos o tres gotas de aceite en la palma de la mano, friccione suavemente en un movimiento circular como las manecillas del reloj, pon las manos en forma de copa sobre la nariz y la boca e inhale lentamente de seis a ocho minutos. Se pueden usar hasta tres aceites a la misma vez. Los aceites viajan a través de los conductos nasales hacia los pulmones y luego hacia todas las células del cuerpo y también pasan hacia el cerebro por medio del sistema límbico. Algunas personas sienten cambios físicos, agilidad mental, claridad, relajación, liberación emocional y mucho más solo con inhalar los aceites. Diluir un aceite esencial para inhalarlo no es generalmente necesario. Estos también pueden olerse directamente desde la botella. Inhala suavemente y firmemente. No resoples el aceite, ya que los vapores pueden irritar los conductos nasales y, mientras que no cause ningún daño, puede causar una incomodidad temporera.

Inhalar se ha informado como bueno para los dolores de cabeza, las condiciones nerviosas, la ansiedad, la inquietud, la energía, el vigor, la concentración, los problemas cardiovasculares y condiciones respiratorias. De hecho, la aromaterapia es la ciencia de oler y como afecta al cuerpo, la mente y el espíritu.

Por favor ten en cuenta que oler a través de la inhalación, difusión y aplicación sobre la piel puede traer viejos recuerdos - algunos buenos, otros no tan buenos. Este puede ser el mejor momento para enfrentar esas emociones negativas que pueden impedir que un individuo alcance su potencial más alto. Puede ser el momento para olvidar el pasado y seguir adelante.

En el 2004, se otorgó un Premio Nóbel por Fisiología o Medicina a Richard Axel, M.D., y a Linda Buck, Ph.D., por su descrubimiento perceptivo del genoma humano, especifícamele los receptores odorantes para el sentido de olfato y la organización del sistema olfativo (www.Nobelprize.org, 2004). La cantidad de genomas humanos dedicados al olfato es mucho más que cualquier otro genoma humano.

DIFUSIÓN

El difusor de aire frío de YL es muy recomendado para dispersar más efectivamente en el aire las miles de moléculas de los aceites. El difusor de aire frío no hace daño a las moléculas; el calor cambia la estructura química de las moléculas, causando que las propiedades medicinales y de sanación sean ineficaces. Coloca de ocho a diez gotas de aceite en el pozo del difusor y déjalo correr por unos quince minutos dos veces al día. El difusor puede ser movido de cuarto en cuarto para realmente limpiar el aire y hacer que una habitación tenga un gran olor. La difusión puede reducir la duración de un resfriado, y en algunos hogares, realmente puede prevenir las enfermedades. Por ejemplo, la mezcla Thieves de YL fue probada en Weber State University (1997) por sus potentes propiedades antimicrobianas. Se encontró que Thieves tiene una taza de 99.96 por ciento para matar las bacterias en el aire, los virus, el moho y los hongos.

Cuando uses un humidificador, llénalo con agua y luego coloca un paño o un pañuelo salpicado con unas pocas gotas de aceite en frente del vapor que sale. Dado que los aceites esenciales pueden disolver productos petroquímicos (plásticos), la colocación de gotas de aceite directamente al humidificador puede causar que éste se degrade con el tiempo.

APLICACIÓN SOBRE LA PIEL

Con respecto a los aceites esenciales, la palabra "neat" significa aplicar los aceites sin diluir o puros. Por ejemplo, con una picada de insecto, simplemente aplica de una a dos gotas de aceite Purification™ sobre la piel y frótelo alrededor de la picada. Es recomendable diluir los aceites para su aplicación a niños pequeños y bebés hasta que la sensibilidad de piel sea conocida. Más cantidad no siempre es mejor cuando se trata de los aceites esenciales; cada gota es muy potente. Solamente usa los aceites esenciales en forma diluida en el área genital y en los revestimientos de mucosidad ya que algunos pueden arder si no son diluidos con un aceite portador como el V-6 de YL mejorado con aceite vegetal complejo o cualquier aceite vegetal.

Si un aceite esencial es aplicado sobre la piel y la piel comienza a ponerse roja, con picazón o caliente, añade aceite de oliva o aceite portador V-6 hasta que haya mejoría. No sucede nada malo, es solo que el aceite trajo la sangre a la superficie de la piel rápidamente. Esto también puede ocurrirle a aquellos que tienen el hábito de usar limpiadores químicos, jabones, cosméticos, lociones y otros productos con ingredientes sintéticos, que penetran las capas dérmicas de la piel. Aplicando los aceites esenciales en estas áreas puede causar irritaciones a la piel y puede llevar estas toxinas profundamente en la piel. YL ofrece una variedad de productos completamente naturales para el cuidado personal para las personas y animales domésticos.

Los aceites esenciales pueden ser usados para todo tipo de padecimiento en los oídos y los ojos.

Para los oídos: Aplique el aceite sugerido a la parte de atrás, bajo el lóbulo de la oreja y hacia la garganta para aliviar un dolor de oído. Una bola de algodón con unas cuantas gotas de aceite metido dentro del oído también puede aliviar dolores de oído. Los aceites no deben dejarse caer directamente en el canal auditivo.

Para los ojos: Mientras que los aceites nunca deben ser usados directamente en el ojo, para apoyar el bienestar óptico use los aceites en el área huesuda alrededor del ojo y a través del puente de la nariz. Muchas personas han reportado una mejoría en la vista y alivio de orzuelos y conjuntivitis, con el uso de los aceites esenciales tanto puros como diluidos. Aunque no va a causar daño, si un aceite cae accidentalmente en el ojo, va a arder por un poco y probablemente puede causar lagrimeo en el ojo. Para alivio inmediato, coloque una gota de aceite portador V-6 en el ojo para absorber el aceite esencial. Nunca se enjuague con agua, ya que el aceite y agua no mezclan, y el aceite se extenderá más.

"Vita Flex" es una técnica especial similar a la reflexología, usando los aceites esenciales en varios puntos de presión en la planta del pie. Algunas personas son sorprendidas con los resultados obtenidos al añadir aceites a los pies. La dilución, incluso en los niños, generalmente no es necesaria en los pies. Consulte un libro de referencia para instrucciones completas y para encontrar los varios puntos. La hora del baño puede ser muy relajante con los aceites esenciales. Combina una taza de sal de higuera con una taza de sal no refinada y añada cinco gotas del aceite de tu elección. Mezcla bien para que el aceite se esparza por completo. Añade media taza de esta mezcla al agua de baño bien tibia o caliente. Relájate y deja que las preocupaciones del mundo desaparezcan. Reemplaza la sal con dos cucharadas de un aceite base para dispersar los aceites uniformemente.

Los baños de asiento son muy buenos para las hemorroides o las suturas después del parto. Combina de tres a cuatro gotas de los aceites esenciales con una cucharada de aceite de oliva y añade al agua de baño tibia. Continúa añadiendo agua caliente para mantener el agua de baño tibia.

Las aplicaciones para las manos y los pies también son beneficiosas. Para las uñas, combina una onza de aceite portador V-6, con cinco gotas de aceite esencial, tal como Myrrh (mirra), Lemon (limón) y Frankincense (incienso). Añade esto a dos tazas de agua tibia y deja las manos o las puntas de los dedos remojar hasta que el agua se enfríe. Otra aplicación es poner la mezcla de aceite para las uñas en una botella y aplicarlo a las uñas todas las noches. Para los pies, añade Lavender (lavanda) regular o el increíble St. Marie's Lavender™ a un cuarto de taza de sal de higueras en una palangana con agua caliente y déjalos remojar. Para cualquier tipo de hongo en los pies o en las uñas, añade Melrose o Purification.

Las compresas se usan frecuentemente para conducir los aceites profundamente. Selecciona los aceites, déjalos caer en la mano, mezcla frotando tus manos en forma circular como las manecillas del reloj y aplica en el área. Luego, cubre el área con un paño tibio mojado y cúbrelo con un paño tibio seco. Déjalo puesto hasta que se enfríe.

MASAJE INFANTIL

Uno de los muchos beneficios del masaje infantil incluye el promover el vínculo emocional. A lo largo de los años, el masaje al bebé ha demostrado ser beneficioso al asistir en el crecimiento y desarrollo, sueño sin interrupciones, relajamiento y reduce la irritabilidad. Otras ventajas incluyen el alivio a las molestias de gas, cólicos y molestias digestivas. Mejoras en las funciones del sistema respiratorio, circulatorio e inmunológico también han sido reportadas. Un suave masaje, usando los aceites esenciales de grado terapéutico diluidos en los aceites portadores de alta calidad, es agradable para ambos bebé y mamá o papá. Los padres encuentran que un tiempo de calidad especial con el bebé desarrolla un vínculo especial, y utilizando los aceites esenciales para apoyar la salud del bebé les da a los padres confianza en su capacidad para responder a las necesidades de su niño.

Estudios interculturales demuestran que los bebés que son sujetados, masajeados, cargados, mecidos y amamantados, se convierten en adultos menos agresivos y violentos, y más compasivos y cooperadores. Investigaciones recientes muestran beneficios para los bebés prematuros y los niños con asma y diabetes. Madres con depresión después del parto han mostrado mejorías después de iniciar el masaje infantil.

Piense en el masaje al bebé como una caricia suave al cuerpo, la variedad Sueca que es vigorosa, de tejido profundo. Idealmente, el papá o la mamá y el bebé deben estar en un estado tranquilo y relajado. Sin embargo, el masaje también puede ayudar a calmar al bebé; un niño molesto puede responder bien a un masaje con el aceite Lavender (lavanda) o Peace & Calming™. Esto puede ser antes del baño o a la hora de acostarse. Es mejor es esperar por lo menos una hora después de alimentar al bebé.

Para instrucciones especificas sobre los aceites para masajes y mezclas, vea la sección de Masajes de la Guía de Síntomas en la página 68.

El cuarto debe estar caliente, en vez de frío. Una temperatura de 78 grados esta bien. El bebé se debe acostar sobre su espalda en una manta acolchonada o una toalla. El padre o la madre pueden pararse frente al bebé, si esta utilizando una cama o una mesa de masajes, o puede sentarse en el piso con sus piernas en forma de diamante donde el bebé puede estar acostado con su cabeza en los pies del adulto. Déjale puesto el pañal, pero dejas sus brazos, piernas y torso al descubierto. Asegúrate de quitarte todas las joyas para no arañar al bebé.

El padre o madre, debe poner de cuatro a cinco gotas de aceite de masaje o mezcla en sus manos y friccionar para calentar ambas manos y el aceite. Aplicar el aceite suave con trazos largos en los brazos, piernas y luego el torso. Hacer los trazos suaves, pero no cosquillas. La dirección del masaje puede ser en ambas direcciones, pero termina con trazos hacia el corazón. En el caso de problemas digestivos (cólicos, gases, etc.), dale masaje en forma de círculos pequeños del lado derecho al izquierdo del cuerpo – en la misma dirección que fluye el colon. Si masajeas el cuero cabelludo, usa pequeños movimientos circulares como si estuvieras lavando el cabello del bebé.

Durante el masaje es bueno hablar suavemente, orar, murmurar, cantar y/o poner música suave. Para mayor acercamiento con el bebé, mantén contacto con los ojos durante el masaje del bebé.

El masaje puede durar de diez a treinta minutos, dependiendo del estado de ánimo del niño y de los resultados deseados del masaje. Mantén una toalla o sabana caliente cerca para cubrir el área del masaje y prevenir que el bebé se resfríe.

El masaje se puede hacer alrededor o cerca de la zona naval y columna vertebral, pero no se enfoque en estas áreas. Cada padre o madre es capaz de darle a su bebé un masaje maravilloso. Una gran manera de aprender más sobre masajes para bebés es consultando un masajista con experiencia en masajes a bebés o infantes para que aprendas técnicas especificas, dependiendo del estado de la salud del niño.

Si los gases constituyen un problema, agarra las piernas del bebé más abajo de las rodillas, luego presiona suavemente las rodillas hacia su barriga. Esta posición puede ayudar al bebé a expulsar los gases.

Los masajes al cabello y al cuero cabelludo, pueden ser muy útiles para muchas condiciones de cabello. Selecciona aceites de los que se mencionan en el libro de referencia, y combina media cucharada de aceite portador V-6 o aceite de germen de trigo y de cinco a diez gotas de aceite esencial. Moja la punta de los dedos en el aceite y masajea el cuero cabelludo. Cubra con una toalla caliente de veinte a treinta minutos. Luego, lávate la cabeza normalmente. El champú de YL y los productos de enjuague están llenos de aceites esenciales para determinados tipos de cabellos. Estos son muy concentrados y no requieren tanta cantidad como los productos anteriormente usados, haciendo el costo muy efectivo. También, los adultos y niños mayores de doce años pueden usar los aceites esenciales sin diluir "neat" para limpiar el cuero cabelludo y el cabello.

Otra técnica de masaje, exclusiva de YL, es la técnica Gota de Lluvia "Raindrop Technique" (RT – por sus siglas en inglés). La explicación completa se encuentra en Essential Oils Desk Reference (EODR), en www.ylwisdom.com, o en Reference Guide for using Essential Oils, www.abundanthealth4u.com. Ambos son excelentes libros de referencias en el uso de los aceites esenciales de grado terapéutico, con énfasis en los productos de la línea de Young Living. En resumidas cuentas, RT es un conjunto de aceites específicos que se aplican suavemente a la columna vertebral y los pies. Aprende la técnica comprando el kit de YL RT, el cual viene con un DVD de enseñanza, y ofrécele a toda la familia la experiencia de la Gota de Lluvia. Los aceites muy diluidos pueden ser utilizados para problemas de salud grave en los niños pequeños. Comunícate con un masajista cualificado para realizar RT en niños. Puedes encontrar una lista de instructores certificados que te pueden referir a un masajista cualificado en RT, en The Center for Aromatherapy Research and Education en www.raindroptraining.com.

El RT modificado puede ser de beneficio practico para los recién nacidos, pero antes de intentar un RT, el practicante debe ser muy competente en el masaje general al bebé con los aceites antes. Los padres deben reunirse con un masajista para instrucciones individualizadas. El aspecto más importante es una dilución extrema, evitando las compresas tibias y sin envolvimiento del cuello. La mayoría de las madres encuentran que darle un masaje regular al bebé y después aplicar los aceites diluidos del RT a los pies del bebé le provee los resultados deseados.

Ungüentos Caseros*

Aquellos que no preparan su propia base de hierbas, deben utilizar el Young Living Rose Ointment, un ungüento de aceite esencial con una leve fragancia para aplicar sobre la piel, que es ideal para combinar con más aceites esenciales para crear mezclas personales. Reúne los siguientes:

Envase de dos onzas de aceites Rose Ointment basado en la receta de la Guía de Síntomas - alrededor de diez gotas para dos onzas del Rose Ointment. (No use más de ocho de los aceites sencillos o tres mezclas en estas creaciones amenos que esté en la receta)
Olla pequeña de acero inoxidable (una taza es ideal). Etiqueta para el envase.
Opcional – Envases pequeños (como envases esterilizados de comida de bebé) para guardar el bálsamo de labio o para compartir. Si usas potes pequeños (una onza o un cuarto de onza), mezcle el ungüento derretido Rose (rosa) y los aceites esenciales en una tasa de medir de cristal para echar en envases más pequeños.
1. Echa dos onzas de Rose Ointment en una olla o cacerola.
2. Echa los aceites esenciales de la receta en un envase vacío de Rose Ointment. (No limpies el envase, usa un cuchillo sin filo o una espátula para vaciar la mayoría del contenido)
3. Calienta el Rose Ointment a fuego mediano a alto hasta que esté derretido. Remuévelo del calor y déjalo enfriar de dos a cinco minutos. Mueve la olla de un lado a otro para que todo se derrita con el menor calor posible.
4. Echa el Rose Ointment derretido de vuelta a su envase con los

aceites esenciales añadidos. El Rose Ointment derretido automáticamente se mezclará con los aceites esenciales añadidos.
5. Déjalo reposar descubierto hasta que este sólido; esto se toma aproximadamente una hora, dependiendo en la temperatura del cuarto. No pongas la mezcla en la nevera o congelador para acelerar el proceso. Esto resultará en un hueco en el centro de la jarra.
6. Ponle la etiqueta y úsalo.
*Aquellos que usen como base el Rose Ointment con derechos reservados de Young Living, pueden usar, compartir y regalar libremente, pero no pueden hacerlo para reventa.

USO INTERNO

La ingestión oral es segura con casi todos los aceites esenciales de YL; NO INTENTES TOMAR OTRAS MARCAS ORALMENTE. Pon unas pocas gotas en una cápsula vacía, tápala y trágatela con agua. Las cápsulas vienen en muchos tamaños, siendo las dos más comunes "0" y "00". Estas pueden ser compradas en la mayoría de las tiendas de comida saludable o a través de Young Living. Esta puede ser diluida 1:1 con aceite de oliva. Es aceptable poner los aceites en una cucharada pequeña con jarabe de arce (maple syrup), miel o el Blue Agave de Young Living o añadir a la leche de almendra o arroz o en una galleta o pedazo de pan e ingerir.

La ingestión es beneficiosa para los problemas intestinales, de apoyo al sistema inmunológico, digestión, balance hormonal y a un sinfín de otras funciones del cuerpo. Mantén la ingestión a lo recomendado o a sólo de tres a cuatro gotas por día mientras estés embarazada o lactando.

El cuidado oral no debe ser desatendido. Noel Claffey, M.Dent. Sc., Decano de Dublin Dental School and Hospital en Irlanda, fue el autor de un estudio titulado "Essential Oil Mouthwashes: a Key Component in Oral Health Management," que fue presentado en el Journal of Clinical Periodontology en junio 2003. Este mostró que enjuagarse con los aceites esenciales era de mejor protección contra las enfermedades de las encías que usar hilo dental. YL tiene pasta dental y el enjuague bucal que contiene una mezcla de Thieves™. Para hacer el enjuague bucal con diferentes aceites esenciales, combine de dos a tres gotas del aceite esencial en una onza de agua purificada; después mezcla, haz gárgaras y traga o escupe. También, añade una gota de Thieves al cepillo dental para una vigorizante experiencia al cepillarse, refrescando el aliento por horas.

Los implantes de retención o bolos vaginales o implantes rectales son reservados mayormente para problemas más serios de salud y no es recomendado durante el embarazo.

PREPARACIÓN DE ALIMENTOS

Preparar los alimentos puede ser muy divertido para la familia, al cocinar y preparar bebidas con los aceites esenciales. La revista trimestral de YL "Lifestyle Magazine," presenta varias recetas usando los aceites de YL, además la compañía YL ofrece dos libros de cocina con ideas para la preparación de alimentos saludables con el aceite esencial. Añade una gota de aceite Cinnamon (corteza de canela) a la mezcla para hornear de bizcochitos de avena. Ponle Basil (albahaca) y Dill (eneldo) al aderezo para ensaladas y en las salsas. Mezcla el Blue Agave de YL y Lemon (limón) en agua helada y bate para una limonada deliciosa.

Con los aceites fuertes, como el Oregano (orégano), hasta una gota puede ser muy fuerte. Inserta un palillo de dientes en la botella y luego añade a la salsa terminada, añadiendo más a gusto. Es mejor si la comida no es calentada en el horno para retener más que simplemente el sabor.

LIMPIEZA DEL HOGAR

La limpieza de manera no-tóxica con los aceites esenciales provee mucho más que un gran olor. La mayoría de los productos comerciales contienen ingredientes que pueden ser dañinos a las personas y sus animales domésticos. Para una guía de las toxinas en el hogar, ve a www.sharinggreathealth.com y desplaza hasta abajo a la izquierda y haces clic en Article Library. La hoja informativa de Labels and Household Toxins es uno de los muchos artículos y tablas útiles. El Thieves Household Cleaner es muy concentrado, y genial para paredes, pisos, cocinas y baños, el cuarto del bebé y más. Concentrado para efectividad de costo, cuando fue examinado en Weber State University, este limpiador tuvo un porcentaje de 99.96 por ciento de efectividad contra bacterias, hongos, moho y viruses. El Lemon (limón) es otra gran elección; mézclalo con un poco de bicarbonato de sodio (baking soda) para un limpiador de fregar.

En la hoja Material Safety Data Sheet, se afirma lo siguiente: – "Thieves Household Cleaner. Sección V, DATA DE SALUD Y RIESGOS, INGESTIÓN: No se recomienda la ingestión del concentrado, pero ninguna precaución especial es necesaria. Si se ingieren pequeñas cantidades, tome agua para deshacerse del sabor."

• • • • •

Algunos aceites pueden ser fotosensitizantes, de manera que pueden causar una quemadura de sol si son aplicados en exceso y expuestos al sol. Potencialmente, los aceites fotosensitizantes incluyen aceites Ginger (jengibre) y citrus (cítricos), tales como Lemon (limón), Tangerine (tangerina) y Orange (naranja).

Antes de usar un aceite, siempre pruebe el aceite en un área pequeña de la piel. Para bebés y niños, los pies son el mejor lugar para empezar, usualmente sin diluirlos "neat." Empieza lentamente con los aceites diluidos en otras áreas, usando no más de dos o tres aceites a la vez.

La investigación sobre la eficacia de los aceites esenciales es cada vez mayor. Una simple búsqueda en el Internet da a conocer miles de artículos científicos, revisados por homólogos validando la efectividad y la seguridad del uso de los aceites esenciales.

PÉRDIDA DEL EMBARAZO

Si sospechas que estas teniendo un aborto espontáneo, por favor consulta a tu médico inmediatamente.

Un aborto espontáneo es la pérdida de un embarazo durante las primeras veinte semanas. Usualmente, ésta es la manera en que el cuerpo termina un embarazo que ha tenido un comienzo difícil. La pérdida de un embarazo puede ser bien difícil de aceptar. Una mujer quizás se pregunte por qué sucedió o se culpe a sí misma, pero un aborto espontáneo no es culpa de nadie. Los aceites esenciales, tal como Trauma Life, pueden ser de ayuda para el aspecto emocional de la pérdida de un hijo. Ver la sección de Apoyo Emocional en la página 36 de la Guía de Síntomas.

Prevenir algunos abortos puede ser tan simple como añadir progesterona. Temprano en el embarazo, la progesterona es producida por un pequeño quiste en el ovario llamado cuerpo luteo. Después de nueve a diez semanas, la placenta debe estar produciendo suficiente progesterona para mantener el embarazo. Se cree que los niveles bajos de progesterona debido a una producción inadecuada del cuerpo luteo, son usualmente los causantes de los abortos espontáneos. El medicamento de progesterona es seguro y relativamente barato, pero los estudios para probar su eficacia han sido inconclusos. Si una mujer ha tenido un aborto previo, debe discutir con su médico si la progesterona puede ayudarla en su próximo embarazo.

Muchas infecciones bacteriales y virales pueden contribuir a un aborto espontáneo, incluyendo las infecciones virales, como el citomegalovirus, infecciones bacterianas como la clamidia, micoplasma y estreptococos, o en casos raros, infecciones parasitarias como la toxoplasmosis. La diabetes no diagnosticada, también puede causar un aborto espontáneo. Las enfermedades crónicas, exponerse a toxinas ambientales (tales como algunos metales), y el estrés, también se sospecha que pueden ser la causa de un aborto espontáneo. Las empleadas de industrias que trabajan con químicos, tales como colorantes, metales o disolventes, están en mayor riesgo. El estrés materno y el uso intensivo del tabaco, cafeína, alcohol y drogas también son factores potenciales.

Las madres deben comer una dieta nutritiva mucho antes de la concepción y durante el embarazo. Ver la Guía de Nutrición en la página 82. Antes de la concepción, libera tu casa de toxinas químicas venenosas (se encuentran en limpiadores domésticos, purificadores de aire, detergentes, productos para el cuidado del cuerpo y del baño, etc.). Usando los aceites esenciales y productos con base de aceites esenciales de Young Living Essential Oils, es una manera de sentirte confiada.

La placenta previa es una complicación del embarazo en la cual la placenta se ha adherido a la pared uterina cerca de la cerviz o cubriéndola. Si tienes un sangrado de color rojo brillante sin dolor asegúrate de comunicarte con tu médico inmediatamente.

GUIA DE SINTOMAS

"Así dice Jehová, tu Redentor, el que te formó desde el vientre: Yo Jehová, que lo hago todo, que extiendo solo los cielos, que extiendo la tierra por mí mismo." Isaias 44:24

Para los siguientes síntomas se proponen varias posibles soluciones para mujeres embarazadas o lactando, así como a bebés o niños. Casi todas las sugerencias a continuación son de un aceite esencial o un producto mejorado con aceites esenciales. De vez en cuando, sin embargo, habrá una sugerencia en cuanto a la comida o hierba. Por favor se selectiva con los productos y exige sólo la mejor calidad (ver la pagina 15). Los temas incluidos en esta guía pueden ser comunes durante un embarazo normal o el parto. Algunas preocupaciones más graves no están incluidas, ya que esas siempre requieren asistencia médica profesional e intervención.

La mayoría de los síntomas son específicos para el bebé o niño y la madre. En el caso cuando la madre o su pequeño tienen la misma condición, como tos y congestión, pueden haber sugerencias "Para bebé," "Para niño" y "Para madre." Típicamente los niños hasta los cinco años van a responder muy bien con el protocolo para bebés, pero un listado separado "Para niño" incluye aplicaciones a los cuales niños mayores de un año pueden responder mas rápidamente. Según los niños crecen, es más efectivo diluir los aceites menos y aplicarlos mas seguido. Las madres son libres de elegir una o múltiples sugerencias, ya que todas han sido reportadas como exitosas. Si seleccionas más de un aceite esencial, debes aplicarlo primero según las instrucciones, y después esperar diez minutos. Si los resultados deseados no se logran, entonces aplica la segunda sugerencia. Sin duda alguna, las madres van a tener sus favoritos y deben marcarlos para futuras referencias.

ACIDEZ ESTOMACAL (ver también REFLUJO ACIDO)

Peppermint (hierba buena) – Ingerir una gota o aplicar una o dos gotas en el pecho cuando sea necesario.

Di-Gize – Aplicar de tres a cuatro gotas directamente a la barriga de la madre. También puede ingerir una o dos gotas oralmente. Una combinación de los anteriores trabaja mejor.

NingXia Red - Tomar según sea necesario.

AlkaLime™ - Disuelve una cucharadita en cuatro onzas de agua y toma temprano en la mañana y tarde en la noche.

ACNE DE BEBÉ

Esto usualmente ocurre en las mejillas y a veces en la frente, en el mentón y en la espalda. Milia son pequeños abultamientos que aparecen en la cara al nacer y desaparecen en unas pocas semanas; no están relacionados con el acne. Si la irritación es más como el salpullido o escamosa y no como espinillas, o si aparece en alguna otro parte del cuerpo, el bebé puede tener otra condición, como costra láctea o eccema.

Lavender (lavanda) y **Melrose™** - Una gota de cada uno, diluir 1:1 y aplicar en las áreas afectadas de la piel, ten cuidado con los ojos y la boca.

ALERGIAS

Para Todos:

Lavender (lavanda), R.C™ y **Eucalyptus Radiata** - Difundir de veinte a treinta minutos dos veces al día o según sea necesario.

Para Niños Mayores de Dos Años:

Eucalyptus Radiata - Igual que lo anterior para la mamá.

Lavender (lavanda) - Ingerir una gota en una cucharadita de miel o del Blue Agave de YL una o dos veces al día.

Para Mamá:

Eucalyptus Radiata - Coloca una gota o menos en el dedo meñique y esparce en el interior de la nariz, pero no profundamente.

Lavender (lavanda) - Coloca cinco gotas en una cápsula e ingiere entre comidas.

"El Lavender (lavanda) ha sido maravilloso para mis alergias. Yo casi no puedo creer la diferencia!" ~ April

AMOR PROPIO (también vea APOYO EMOCIONAL)

Para esos días en que mamá se siente agotada.

Rose (rosa) - Aplicar una gota en el pecho.

Joy y **Present Time** - Aplicar una gota en una o las dos muñe-

cas como si fuese perfume e inhalar.
Feelings Kit - Use según indicado o deseado.

APOYO EMOCIONAL (también ver MIEDO, PÁNICO, DEPRESIÓN POSTPARTO, AMOR PROPIO, AUTOESTIMA y TRAUMA)

Forgiveness™ - Difundir o aplicar de una o dos gotas para ayudar a liberar el pasado.
Present Time™ - Difundir o aplicar de una o dos gotas para mantener el enfoque en el presente.
Surrender™ - Difundir o aplicar de una o dos gotas para ayudar a liberar las emociones negativas.
Peace & Calming o **Stress Away roll on** - Aplicar en la muñeca y alrededor de las orejas y el cuello. El descanso, la relajación y la habilidad de pensar claramente volverá. El oler bien hace que una mamá se sienta linda.
Feelings Kit - Utilizar como se indica o sea deseado.

AUMENTO DE ENERGÍA

En-R-Gee™ - Aplicar una gota en la espalda, en el área aproximada de los riñones, y una gota a la izquierda y derecha de las costillas y/o en la planta de ambos pies.
Peppermint (hierba buena) - Aplicar una gota en los mismos lugares de el caso anterior o en el área del cuello. Ingerir una gota de Peppermint (hierba buena) en el agua diariamente.
Lemon (limón) y **Grapefruit (toronja)** - Ingerir algunas gotas en el agua de tomar. También inhale.
PARA EL NIÑO Y LA MADRE:
NingXia Red - Tomar de tres a seis onzas por día, repartidos a través del día. Algunas personas están tan energizadas por el NingXia Red que no pueden tomarlo después de las 4:00 p.m. porque provee energía extra que prolonga su hora de acostarse.

AUTISMO

Muchos niños diagnosticados con autismo o trastorno relacionados con los síntomas, mejoran con un cambio de dieta y el uso de ciertos aceites esenciales. Reduciendo el índice glicérico y sustituyendo las comidas no nutritivas con alimentos

sanos, es también muy beneficioso. El libro Nutrition 101: Choose Life! guía a las familias hacia mejores y más saludables hábitos alimenticios que benefician a todos los miembros de la familia.
KidScents MightyZymes - Tomar una o dos tabletas antes de las comidas diariamente.
KidScents MightyVites™ - Tomar una o dos tabletas con las comidas diariamente.
NingXia Red - Beber de una a dos onzas por día. Diluir en un vaso de agua, si prefieres. Esta es una excelente fuente de vitaminas y minerales, antioxidantes y el glutatión, de los cuales muchos niños autistas tienen deficiencias.
Brain Power, Frankincense (incienso), Clarity, Peace & Calming, Idaho Balsam Fir (abeto balsámico de Idaho), Valor, Cedarwood (madera de cedro) y Sandalwood (sándalo) - Difundir algunos o todos. También puede hacer que el niño se aplique el aceite en el cuero cabelludo y ponérselo como perfume.
En casos donde se sospechan metales (mercurio) pesados:
Juva Cleanse® - Aplicar en la planta de los pies a la hora de ir a dormir. Toma una o dos gotas en una cápsula o en leche de arroz dos veces al día durante tres meses. Inmediatamente quita todos los químicos del cuido del cuerpo y los productos de limpieza de la casa.

Mi hijo Noah, de cinco años, diagnosticado con autismo, no podía conversar con nosotros; el solo repetía frases que había escuchado. En mayo hice el compromiso de darle tres MightyZymes cada día, todos los días. A finales de junio, salio de su cascarón. El comenzó a hablarnos en un método conversacional y preguntando y respondiendo preguntas. El quería que estuviéramos con el, para jugar, ver películas y leer con el. Yo creo que a través de las MightyZymes de YL y los aceites esenciales, nuestro Padre Celestial ha libertado a nuestro hijo de muchas de las luchas diarias del autismo." ~ Evon (Lea el testimonio completo en la pagina 105.)

AUTOESTIMA (también ver APOYO EMOCIONAL)

Believe - Aplicar en cualquier parte, directamente o diluido.
Valor - Aplicar en la planta de los pies o en el pecho.

AZÚCAR EN LA SANGRE (ver DIABETES GESTACIONAL)

BAÑO DE BEBE

Sólo usa un gel de baño suave o jabón en un bebé recién nacido.
KidScents Bath Gel™ - Seguir las instrucciones en la botella.

BEBÉS QUE VIENEN DE NALGAS

Cuando el bebé no se ha girado para ser vértice (con la cabeza hacia abajo) para el parto y nacimiento, pero está presentando la parte de abajo primero, esta posición se llama de nalgas.
Peppermint (hierba buena) - Aplicar en el abdomen. (Ver el testimonio de una comadrona en la página 90)
Myrrh (mirra) - Aplicar varias gotas en la barriga y frotar en la piel. Repetir la aplicación puede ser necesario.

CANDIDIASIS BUCAL (también ver INFECCIONES MICÓTICAS)

Madres lactando pueden experimentar un brote de cándida en forma de una infección apareciendo blanco cremoso, lesiones ligeramente levantadas derivados del uso excesivo de antibióticos. En adición, algunas enfermedades y estrés pueden alterar el delicado equilibrio del cuerpo.
Life 5 Probiotic - Madres lactando toman una a dos cápsulas diariamente para reponer la flora intestinal perdida.
Melrose - Colocar solo una poca cantidad en un dedo limpio y limpiar la boca del bebé. Después de cinco minutos, amamante para quitar el sabor. Mamás aplicar tres a cuatro gotas en la parte inferior del abdomen.
NingXia Red - Madres lactando deben tomar de una a tres onzas diariamente. Mojar una pequeña cantidad en un dedo limpio y limpiar la boca del bebé varias veces al día.

CANSANCIO (también ver AUMENTO DE ENERGÍA)

Rosemary - Mezclar diez gotas en una cucharadita de sal de higueras y añada al agua de baño.

Rosewood (palisandro) (diez y siete gotas), **Orange (naranja)** (6 gotas) y **Geranium (geranio)** (dos gotas) - Mezclar estos aceites con dos cucharadas de aceite portador V-6 para un masaje revitalizante de la mezcla de aceite para aplicar sobre la piel según sea necesario.

CESÁREA

Esto es un procedimiento quirúrgico donde una incisión a través del abdomen y útero es usada para extraer el bebé.

Rose (rosa) - Aplicar una gota en la localización para asistir en la liberación del trauma emocional y rejuvenecer la piel y el tejido.

Helichrysum (helicrisum) - Aplicar una gota en la localización para sanar el trauma del tejido y detener el sangrado.

Lavender (lavanda) - Aplicar liberalmente en la localización para prevenir cicatrices y promover la curación de la piel.

Believe™ - Aplicar una gota diluida 1:1 en el área para ayudar a sanar la herida.

Trauma Life - Aplicar una gota en la localización para asistir en liberar el trauma emocional.

Rose Ointment - Aplicar sobre la piel. Puede ser combinado con los aceites antes mencionados.

CIRCULACIÓN

Cypress (ciprés), Helichrysum (helicrisum) y **Tangerine (tangerina)** - Combine un par de gotas de cada uno con varias gotas de un aceite portador y dar masaje en las piernas todos los días.

NingXia Red - Tome una onza dos veces al día.

Ortho Ease® aceite de masaje - Aplicar a las piernas inquietas.

Omega Blue - Tome de una a tres cápsulas diarias.

CIRCUNCISIÓN

Rose Ointment - Aplicar sobre la piel con cada cambio de pañal para impedir el área que esta cicatrizando que se pegue al pañal.

Animals Scents Ointment - Aplicar sobre la piel, como se indicó anteriormente. A pesar del nombre, Animal Scents trabaja bien para humanos también.

CÓLICO

Esto es cuando el bebé tiene episodios de llanto e irritabilidad por lo que parece ser dolor abdominal. Las madres lactantes deben examinar su dieta de alimentos dañinos y evitar la cafeína, comidas con altos contenidos de grasa y alimentos picantes que puedan ser demasiado duro para el bebé.

Roman Chamomile (manzanilla romana) - Coloque una gota en un plato hondo con agua tibia y aplicar compresa en el abdomen del bebé.

Dill (eneldo) - Coloque una gota en una cucharada de aceite portador V-6 o aceite de almendra dulce y frote en el medio de la espalda del bebé en forma circular, como la manecillas del reloj.

Di-Gize™ - Diluir una gota en una cucharadita de aceite de oliva y frotar en el abdomen del bebé.

CONDICIONES DE OJO (conductos lagrimales obstruidos, conjuntivitis y orzuelo)

Los ácaros pueden adherirse a las pestañas de adultos y niños y causan problemas en el ojo y la visión.

Lavender (lavanda) - Aplicar una gota al puente de la nariz y en el hueso alrededor del ojo, cuidadosamente evitando el ojo. Esto es bueno para los conductos lagrimales obstruidos, la conjuntivitis, y los orzuelos.

Melaleuca Alternifolia (árbol de té) - Mezclar dos gotas con una onza de agua tibia. Cierre el ojo y lave las pestañas con un algodón sumergido en la solución. Use una nueva y limpia bola de algodón cada vez. Enjuague con agua fría, séquela.

Mezcla de ayuda al ojo:

20 gotas de Aceite de Oliva
20 gotas de **Lavender (lavanda)**
20 gotas de **Melrose**
10 gotas de **Frankincense (incienso)**

Combinar en un frasco pequeño con gotero. Colocar una gota en el dedo índice limpio, frotar junto con el otro dedo índice. Aplicar suavemente en el hueso alrededor del ojo. También puede colocarse en el punto de reflejo del dedo del pie.

CONGESTIÓN (también ver TOS e INFECCIÓN RESPIRATORIA)

Eucalyptus Globulus, Eucalyptus Radiata, R.C. o Rosemary - Difundir todos para descongestionar.

"No mucho después de haber nacido mi hijo, mi familia contrajo un desagradable virus respiratorio superior con una gran congestión y una tos cruposa. Por supuesto, todos nosotros aumentamos nuestra dosis de **NingXia Red**, de tres a seis onzas al día. Mis hijas de diez y siete años, mi esposo y yo, nos tomamos de tres a cinco cápsulas al día de **Inner Defense**, y difundí y apliqué montones de **R.C.** a nuestros pechos, cuellos y pies, ayudándonos a deshacernos de todo en la mitad de tiempo que normalmente hubiera tomado. Sin embargo, a mi nene de cinco semanas de nacido, le dió una fiebre baja y tenía algo de congestión el cual yo sabia que era bastante grave para un recién nacido. También froté **R.C.**, diluido 1:1 con el aceite portador V-6, sobre todo su pecho y en la planta de sus pies cada dos horas más o menos, y apliqué **Lavender (lavanda)** al puente de su nariz para el conducto lagrimal bloqueado. Mientras oraba por el, sentí que debía aplicar **Frankincense (incienso)** por todo su cuerpo, alrededor de afuera de sus ojos, y sobre sus senos paranasales. También diluí 1:1 **Thieves** y lo froté en la planta de sus pies. Al próximo día, su fiebre se había ido, la congestión aclaró, y hasta el conducto lagrimal bloqueado fue abierto y la infección de su ojo desapareció totalmente!" ~ Sera

CONJUNTIVITIS

Lavar bien las manos cuando vaya a aplicar las siguientes soluciones: Sacar media onza de leche materna en un recipiente estéril a temperatura ambiente. Usar un gotero esterilizado y colocar de una a dos gotas en el ojo afectado.

Melrose y Lavender (lavanda) - Colocar una gota de cada uno con una gota de aceite de oliva en un plato limpio, esterilizado o un envase con tapa. Usar un dedo para mezclar todo junto e inmediatamente usar esa escasa cantidad de aceite en ese dedo para masajear el hueso de la cuenca del ojo, el puente de la nariz, arriba de las cejas y las sienes. Debe haber poco o ningún residuo de aceite en la piel después de masajear si la cantidad correcta es aplicada. La hora de la siesta y por la noche son buenos tiempos para usar esta formula. Cubra el plato o envase y rehúse la formula dos veces por día; es suficiente para varias aplicaciones. Estos aceites esenciales, cuando se usan como es indicado, producen grandes resultados. Incluso si un aceite esencial de YL cae accidentalmente en el ojo no le dañara el ojo, puede agitarlo temporalmente. Si esto ocurre, colocar unas pocas gotas de aceite portador V-6 para diluirlo y la agitación debe cesar rápidamente. No use agua.

CONTRACCIONES (ver ALUMBRAMIENTO)

CORDÓN UMBILICAL

Myrrh (mirra) - Diluir 1:10 con el aceite portador y aplicar al final del cordón umbilical para una mejor cicatrización.
Frankincense (incienso) - Aplicar una a dos gotas por día directamente en el muñón del cordón umbilical hasta que se caiga, generalmente en una semana.
Geranium (geranio) - Aplicar una a dos gotas para cualquier sangrado alrededor del cordón umbilical/ombligo. Este puede ser diluido.
Umbilical Cord Ointment - Usar los ingredientes a continuación y siga las instrucciones de la página 28 para crear este ungüento. Aplicar sobre la piel hasta cicatrizar. Para hacer una porción de un cuarto de onza, usualmente todo lo que se necesita usar es:

1 gota de **Lavender (lavanda**)
1 gota de **Frankincense (incienso)**
1 gota de **Myrrh (mirra)**

CORTE VAGINAL (también ver CUIDADO DEL PERINEO)

Esta es una pequeña incisión para seguir abriendo el perineo para permitir más espacio para que el bebé pueda nacer. A menudo requiere suturas para ayudar en la curación.

Peace & Calming - Difundir durante el parto.
Lavender (lavanda) - Añada varias gotas al agua de baño al momento del nacimiento o difundir en el cuarto.
Lavaderm Cooling Mist™ - Rosear el área después del nacimiento.
ClaraDerm Spray™ - Aplicar según sea necesario por seis semanas antes de y después del nacimiento.

CUBETAS DE PAÑALES (ver Limpieza de Casa en la pagina 30)

Thieves Household Cleaner™ puede ayudar a mantener la cubeta de pañales desinfectada y oliendo fresca para las mamás que están usando pañales de tela. En una pinta de agua fría añade una tapita llena de Thieves Household Cleaner en el fondo de la cubeta limpia.

CUIDADO PARA LA MADRE DESPUÉS DEL NACIMIENTO

ClaraDerm™ Spray - Aplicar según sea necesario en el área vaginal.
Gentle Baby™ - Colocar de dos a cuatro gotas en el área abdominal.

CUIDADO DEL PERINEO (ver también PREVENCIÓN de EPISIOTOMÍA)

UN MES ANTES DEL PARTO:
Clary Sage (salvia sclarea) (cinco gotas) y **Rose (rosa)** (dos gotas) - Mezclar con una onza de aceite germen de trigo y aplicar en el área del perineo.
Myrrh (mirra) - Diluir 1:10 con el aceite portador V-6 y aplicar sobre la piel.
ClaraDerm Spray - Rociar cada día o varias veces al día en el perineo, durante el periodo de seis semanas antes del parto.
TRES SEMANAS ANTES DEL PARTO:
Geranium (geranio) (ocho gotas) y **Lavender (lavanda)** (cinco gotas) - Mezclar con una onza de aceite de almendra y frotar en el perineo tres veces al día. Esto puede ayudar a suavizar el cuello del útero y adelgaza la membrana para prepararse para el parto.

UNA SEMANA ANTES DEL PARTO

Geranium (geranio) (ocho gotas), **Lavender (lavanda)** (cinco gotas) y **Fennel (hinojo)** (cinco gotas) - Mezclar con una onza de aceite de almendra y aplicar en el perineo para seguir con la preparación.

MASAJE PERINEAL UNA VEZ ESTABLECIDO EL PARTO

Myrrh (mirra) - Diluir unas pocas gotas 1:10 y aplicar en el perineo.

DESGARRE Y TRAUMA DEL PERINEO

ClaraDermSpray - Aplicar varias veces, incluso cada hora, diariamente.

Melrose - Diluir 1:10 y aplicar en el perineo.

Cypress (ciprés) (dos gotas) y **Lavender (lavanda)** (tres gotas) - Añadir aceites a media cucharadita de sal y mezclar al agua de baño para crear un baño de asiento.

"Yo tuve un pequeño desgarre con el nacimiento de mi cuarto hijo, y el **ClaraDerm Spray** fue tan maravilloso y relajante. Hasta me ayudo a sanar el desgarre mas rápido que cuando rompí con los otros niños. Ninguna primeriza debe estar sin su **ClaraDerm.**" ~ Sera

DENTICIÓN

PARA EL BEBE:

Thieves - Diluye 1:5 y aplicar directamente en el área afectada.

Exodus II™ - Aplicar una gota varias veces al día para aliviar el dolor. Puede ser diluido.

Clove (clavo de olor) - Diluya 1:5 con el aceite portador V-6 y masaje las encías del bebé y área del diente.

PARA EL NIÑO:

PanAway y Deep Relief - Aplicar sin diluir "neat" a la mandíbula sobre el área del dolor. Ayuda al niño a mantener el aceite fuera de sus ojos; diluir el aceite o ten el aceite portador V-6 a mano si es una preocupación.

"Cuando le salio una de las muelas a mi hija, tenia una bolsa de fluido sobre encia. Ella estaba con dolor y tenía diarrea. Yo le apliqué una gota de **Exodus II** varias veces al día para aliviar el dolor. En dos días la bolsa desapareció, y el diente comenzó a salir. Ahora ella me trae los aceites cuando quiere probarlos o ponérselos." ~ Laura

DEPRESIÓN DESPUÉS DEL PARTO (ver también APOYO EMOCIONAL)

Esto puede llegar con el inicio de la lactación, alrededor de uno a cuatro días después del nacimiento.

Thyromin™ - Tomar de dos a tres cápsulas por la noche para apoyar el funcionamiento de la glándula de tiroides.

Jasmine (jazmín) - Añada unas pocas gotas a media cucharadita de sal y mezclar en el agua de baño. **Ylang Ylang** o **Clary Sage (salvia sclarea)** pueden ser sustituidos por **Jasmine (jazmín).**

Rose (rosa) o **Joy** o **Idaho Balsam Fir (abeto balsámico de Idaho)** - Inhalar y usar como perfume diariamente.

Frankincense (incienso) - Difundir o aplicar en cualquier parte del cuerpo, directo o diluido 1:1.

Bergamot (bergamota) (dos gotas), **Ylang Ylang** (dos gotas) y **Clary Sage (salvia sclarea)** (dos gotas) - Añade a media cucharadita de sal y mezcle en el agua de baño.

Feelings Kit - Usa según indicado o deseado.

DESINFECTAR

Thieves Household Cleaner puede ser diluido en varias potencias para la limpieza de toda la casa incluyendo el cuarto de los bebés, juguetes, lavado de ropa y cambiador de bebé. Ver Limpieza del Hogar en la página 30.

DESINTOXICAR

No es tiempo para comenzar una limpieza agresiva durante el embarazo y mientras se está lactando. Una vez el bebé esta destetado o al menos solo lactando pocas veces por día es generalmente cuando la madre puede empezar una limpieza más agresiva. Hasta entonces es mejor tomar una o dos porciones de Balance Complete diariamente (como merienda, no reemplazo de comida); toma batidos verdes (ver la página

85 para la receta); y toma el NingXia Red para mantener una leve limpieza nutritiva. También consulta la Guía de Nutrición en la pagina 82.

DESPUÉS DEL NACIMIENTO, EL CUIDADO Y LA UNCIÓN DEL BEBÉ (también ver PARTO Y NACIMIENTO Y TRAUMA)

Frankincense (incienso) - Diluir 1:1 y aplicar en todo el cuerpo como aceite de unción.

Trauma Life™ - Aplicar donde quiera que un trauma haya ocurrido o simplemente en la coronilla de la cabeza y los pies inmediatamente después del nacimiento.

Valor™ - Diluir en partes iguales y aplicar a los pies. Espere de cinco a diez minutos antes de usar otro aceite.

Brain Power™, Joy™ y **Peace and Calming™** - Diluir en partes iguales y usa como aceite de masaje. Aplica a los pies y por todo el cuerpo, incluyendo la cabeza.

Lavender (lavanda) - Diluir en partes iguales y aplicar a los pies para relajación cuando sea necesario.

Myrrh (mirra) - Diluir 1:1 y aplicar al en todo el cuerpo como un aceite de unción. Mezclar cualquier aceite de elección con treinta gotas a una onza del aceite base y aplicar en el abdomen.

DESPUÉS DEL NACIMIENTO, UNGIENDO AL BEBÉ

ClaraDerm Spray - Papá o mamá debe rociar sobre sus manos y luego ungir la cabeza del bebé, su cara y alrededor de sus ojos. También, rociar en su cuerpo, brazos, piernas y pies. Repita por varios días después del nacimiento también.

Valor - Diluir 1:1 con el aceite portador V-6 y aplicar una o dos gotas en los pies y la columna vertebral.

Frankincense (incienso) - Aplicar una o dos gotas en la coronilla de la cabeza y ungir con oración y dando gracias.

Thieves - Difundir en la sala de parto para matar gérmenes.

Peace & Calming - Aplicar una o dos gotas en la planta del pie de mamá y bebé.

"Habiendo usado los aceites YL, me sentí bien relajada ya que solamente me tomo tres veloces pujos y nuestra hija salió en solo una hora y diez minutos después de mi llegada al hospital.

Mi precioso esposo me llamó "la supermujer" porque me levanté de la cama y sala de parto y caminé a mi cuarto privado al otro lado del hospital. Así de relajada estaba, y me sentí bien revitalizada. Las enfermeras se quedaron atónitas y admiradas. ¡Los aceites realmente me mantuvieron relajada y enfocada!" ~ Karen

"Tuvimos nuestro bebé después de solo una hora y treinta y tres minutos de parto. Llegué a la puerta del hospital a solo ocho minutos de que ella naciera. Gracias por todo el asesoramiento y apoyo a través de BebésTiernos durante este embarazo. Me ha ayudado mucho saber que tenia alternativas a la medicina moderna cuando se enfrenta ciertos problemas. **NingXia Red** fue inestimable a lo largo de este embarazo." ~ Neisha

"¡Me encantó tener los aceites durante mi parto y nacimiento! **Peace & Calming** era mi favorito y ayudó a relajarme. Yo estaba tan emocionada de poder ungir a mi bebé con los aceites rápido después de su nacimiento. Nosotros rociamos ClaraDerm con **Frankincense (incienso)**, **Myrrh (mirra)**, **Lavender (lavanda)** y **Helichrysum (helicrisum)** en nuestras manos para ungir su cabeza y después lo rociamos directamente por todo su cuerpo y en el área del cordón umbilical. La piel de mi bebé estaba tan suave y flexible, y olía muy bien! Después del nacimiento, me encantó saber que todos los aceites que usé iban también a matar cualquier posible bacterias o viruses en el medio ambiente que nos rodea." ~ Sera

DIABETES GESTACIONAL – (también ver la GUÍA DE NUTRICIÓN en la página 82)

Esto se refiere a las mujeres embarazadas que nunca han tenido diabetes, pero cuyos niveles de azúcar en la sangre aumentan durante el embarazo. Según el bebé desarrolla las hormonas de la placenta, esto puede bloquear la acción de la insulina de la madre en su cuerpo y hacer que sea difícil para el cuerpo de la madre usar su insulina. Esta condición debe ser monitoreada por un profesional de la salud para evitar complicaciones serias para la madre y el bebé. Evita los alimentos altamente procesados, especialmente la harina blanca refinada y alimentos de azúcar blanca.

NingXia Red – Tomar tres onzas durante el transcurso del día.
Pure Protein Complete o **Power Meal** – Tomar de una a dos porciones por día entre comidas.
Ocotea – Colocar dos gotas en media onza de NingXia Red en la mañana, a mediados de la tarde o antes de acostarse.
Para una merienda saludable prepara el batido verde en la página 85.

"Salí positivo con diabetes gestacional con mi primer niño y luego nuevamente con mi cuarto. Logré controlarla con dieta durante mi primer embarazo. Sin embargo, con mi cuarto, estaba tan frustrada que casi me muero de hambre para lograr mantener mi azúcar baja. Sentí mucho miedo al tener que usar insulina. Luego conseguí mi **NingXia Red**. Comencé a tomar una onza tres veces al día, después de cada comida. En un plazo de tres a cuatro días note una gran diferencia. Mis niveles de azúcar estaban menos de 120 casi todo el tiempo. Normalmente me subía una o dos veces a la semana después que comencé con el NingXia Red, pero cuando estaba alta era solo en los 130 no los 180. Después de una semana noté que podía comer porciones más grandes y todavía podía mantener los niveles de azúcar dentro de lo normal. Esto es increíble, ¡cuando estás embarazada y con hambre casi todo el tiempo! Tuve una niña saludable de ocho libras, término completo y cero complicaciones. ¡Gloria a Dios!" ~ Becky, R.N.

DIARREA

Estas sugerencias pueden ser usadas proactivamente y reactivamente por todos los miembros de la familia. En general para bebés y niños, aplicar de una o dos gotas sobre el abdomen.
DiGize – Aplicar de una a dos gotas sobre el abdomen. En adición, los adultos pueden poner dos gotas en el agua para tomar.
Lavender (lavanda) y **Basil (albahaca)** – Aplicar una gota de cada uno sobre el abdomen para calmar tensiones inducidas por la diarrea. **(Lavender (lavanda), Basil (albahaca), Cypress (ciprés), Roman Chamomile (manzanilla romana)** y

Eucalyptus son antiespasmódicos.)
Peppermint (hierba buena) - Tome una gota oralmente.
Ledum - Aplicar de una a dos gotas sobre el abdomen y tomar una gota oralmente.
ICP - Colocar unas pocas gotas en agua para absorber el exceso de agua en el colon.
Inner Defense - Tomar una cápsula por día si un virus de estómago es la posible causa.
Life 5 - Tomar una o dos cápsulas diariamente para establecer la buena flora intestinal en el sistema.
Geranium (geranio), Sandalwood (sándalo), y **Roman Chamomile (manzanilla romana)** - Aplicar de una a dos gotas sobre el abdomen.

DIATESIS DEL PUBIS

Esto es un amplio espacio anormal entre los dos huesos púbicos y puede ser muy doloroso.
Rose Ointment y **Idaho Balsam Fir (abeto balsámico de Idaho)** - Aplicar una o dos gotas de aceite con el ungüento y aplicar sobre el área púbica.
BLM™ - Tomar de dos a cuatro cápsulas diariamente según indica el frasco para el apoyo a la salud ósea.

DILATACIÓN, si se retrasa y la enfermera o comadrona recomiendan fomentar la dilatación.

Clary Sage (salvia sclarea) - Masaje alrededor del hueso del tobillo o tomar una gota cada quince minutos hasta que la dilatación empiece. Otras madres han tomado seis gotas y después esperan a ver y reconsideran después de cuatro o cinco horas. Monitoree durante las próximas dos horas. Luego repita si es necesario. No trate de forzar el parto.

DOLOR DE GARGANTA

PARA EL BEBE:
Thieves y **Oregano (orégano)** - Aplicar sin diluir "neat" a la planta de los pies tres veces al día.
Palo Santo o Frankincense (incienso) - Aplicar una gota

sobre la garganta.
Thieves Wipes - Limpie el cuello y abajo de las orejas.
PARA NIÑOS, TODAS LAS ANTERIORES Y ADEMAS:
NingXia Red - Congelar los paquetes de una onza y sírvalos como paletas.
Thieves Spray - Rociar una vez a la parte de atrás de la garganta. Esto puede ser un poco caliente al principio, pero va aliviando y lucha contra la infección. Repetir como sea necesario.
Thieves Mouthwash - Hacer gárgaras de dos a tres veces por día.
Thieves Soft Lozenges - Tomar según indicado.
PARA MAMA, TODAS LAS ANTERIORES Y ADEMAS:
Thieves Hard Lozenges - Tomar según indicado.
Super C - Tomar seis tabletas extendidas a través de todo el día.
NingXia Red - Tomar lentamente a través del día.

DOLOR DE ESPALDA (ver también DOLOR MUSCULAR)

PanAway™ - Aplicar directamente o diluido 1:1 en el área.
Valor - Aplicar directamente en el área.
Aroma Siez™ - Aplicar directamente en el área.
Deep Relief™ roll-on - Aplicar directamente en el área.

DOLOR MUSCULAR

Aroma Siez - Aplicar según se necesite para los músculos adoloridos con un chorrito de aceite portador V-6 u otro aceite portador.
Ortho Sport Masaje Oil - Aplicar liberalmente para dolor muscular y dolor esquelético.
Marjoram - Aplicar directamente a los músculos o diluya con el aceite portador V-6.
Valor - Aplicar directamente en las áreas sensibles y/o en la planta de los pies y/o en la columna vertebral.
Palo Santo - Aplicar directamente en los músculos o diluya con el aceite portador V-6.
Idaho Balsam Fir (abeto balsámico de Idaho) - Aplicar diluido "neat" o sin diluir directamente en las áreas sensibles o irritadas.

DOLORES DE CABEZA

Lavender (lavanda) - Colocar una gota en las sienes, parte posterior del cuello, a lo ancho de la frente y donde duela. También inhalar.

Frankincense (incienso) - Colocar una gota en las sienes, parte posterior del cuello, a lo ancho de la frente y donde duela. También inhalar.

Peppermint (hierba buena) - Colocar una gota en las sienes, parte posterior del cuello, a lo ancho de la frente y en donde duela. También inhalar.

Roman Chamomile (manzanilla romana) - Colocar una gota en las sienes, parte posterior del cuello, a lo ancho de la frente y donde duela. También inhalar.

NOTA: Muchas damas le gusta colocar una gota de **Peppermint (hierba buena)**, una gota de **Lavender (lavanda)**, y una gota de **Frankincense (incienso)** en la palma de las manos, y mezclar en la misma dirección como las manecillas del reloj.
Frotar las manos juntas, en forma de copa sobre la nariz y la boca e inhalar.

ECCEMA/DERMATITIS

Este es un término general que abarca diversas condiciones de la piel inflamada. A pesar de que parezca diferente de persona a persona, esta mayormente caracterizado por la sequedad, enrojecimiento y manchas extremadamente picantes en la piel. En los bebés, el eccema típicamente ocurre en la frente, las mejillas, los antebrazos, las piernas, el cuero cabelludo y en el cuello. En niños y adultos, típicamente ocurre en la cara, el cuello, y en la parte de adentro de los codos, las rodillas, y los tobillos.

Lavender (lavanda) y **Melrose** - Colocar dos gotas en la palma de la mano agitar para mezclar y aplicar sin diluir "neat" en el área afectada.

Tender Tush - Aplicar como loción por toda la piel.

Detoxzyme® o **Allerzyme™** - Vacíar el contenido de una cápsula en la comida. Estos han sido utilizados en los niños pequeños que están comiendo y no lactando.

Lemon (limón) - Aplicar sin diluir "neat" en el área afectada.

Lavender (lavanda) y **Rose Ointment** – Aplicar unas pocas gotas de Lavender (lavanda) y luego ponga encima el Rose Ointment.
Lavender Hand and Body Lotion – Untar en la piel.
Ungüento para la piel irritada – Usar los ingredientes a continuación y siga las instrucciones en la página 28 para crear este ungüento. Aplicar según sea necesario.

2 gotas de **Lavender (lavanda)**
1 gota de **German Chamomile (manzanilla alemana)**
1 gota de **Cistus**
3 gotas de **Rosewood (palisandro)**
2 gotas de **Geranium (geranio)**
1 gota de **Helichrysm**

EDEMA/RETENCIÓN DE AGUA

Esto incluye la hinchazón usualmente en las piernas, los pies, y los tobillos.
Cypress (ciprés) y **Tangerine (tangerina)** – Añadir una gota de cada uno al agua de beber. Repetir varias veces al día.
NingXia Red – Tomar de una a dos onzas adicionales diariamente.
Mezcla de aceites para masajes para la retencion de agua:

2 gotas de **Tangerine (tangerina)**
1 gota de **Lemon (limón)**
4 gotas de **Cypress (ciprés)**
4 gotas de **Lavender (lavanda)**
3 gotas de **Geranium (geranio)**

Mezclar los aceites en dos y media cucharadas de aceite de almendra, media cucharada de aceite de jojoba y una cápsula del aceite portador Evening Primrose (aproximadamente diez gotas). Esto puede ser usado durante todo el embarazo. Relájese en el sofá con las piernas levantadas en las almohadas. Aplicar los aceites en los pies, los tobillos y las piernas, masajear hacia el corazón para ayudar la circulación. Usualmente los esposos necesitan ayudar a aplicar esta mezcla.

ENFERMEDAD DE MANOS, PIES Y BOCA (FIEBRE AFTOSA)

Esta es una enfermedad común en los niños que pueden aparecer úlceras en la boca, fiebre y erupción cutánea. Puede ser causada por una variedad de viruses en la familia Enterovirus, especialmente el virus Coxackie A16. Esta condición no debe ser confundirla con la enfermedad de pie y boca, el cual infecta al ganado y es rara en los seres humanos.

Thieves, Mountain Savory (ajedrea)™ o **Purification** - Diluir o aplicar dos o tres gotas sin diluir "neat" en el pie y en la columna vertebral varias veces a lo largo del día. Estos aceites pueden ser alternados.

"Pocos días antes de salir de la cuidad para ver a la familia, me percate que mi hijo tenia unas ampollas en sus pies. Debido a que Caleb había dormido terriblemente la noche anterior, inmediatamente sospeche de la enfermedad de manos, pies y boca. El no tenía ampollas en sus manos o boca, ni tenía fiebre o ningún otro síntoma. Yo se lo achaque a la dentición. Para el mediodía, el ya tenia ampollas en sus manos. Todavía no podía ver ninguna en su boca, pero yo sabia que tenia que ser un virus especialmente cuando el no pudo comer comida sólida esa noche. Comencé a aplicar Thieves en sus pies y columna vertebral. Alterne con **Mountain Savory (ajedrea)** y **Purification**. Más o menos en una hora después de aplicar el Purification, estaba enseñándole las ampollas a mi mamá, y isolamente pude ver dos! Seguí aplicando el Purification cada vez que le cambiaba el pañal durante el lunes y continúe mientras viajamos el martes. Para el miércoles, las ampollas habían desaparecido de sus manos y isolamente le quedaban marcas rojas en sus pies! El nunca pareció tener fiebre, pero el Purification realmente parece haber acortado la duración del virus!" ~ Wendy

ENJUAGUE BUCAL/HIGIENE ORAL

Thieves Mouthwash - Haga buches e ingerir para un aliento fresco. Si sensibilidad para respirar, oler del equipo de apoyo de parto, ponlos a hacer buches e ingerir.

Peppermint (hierba buena) y **Lemon (limón)** - Aplicar una gota de cualquiera de los dos o los dos a la lengua.

ENLAZAR CON EL BEBÉ

Gentle Baby – Aplicar una o dos gotas en la barriga de la embarazada.

Joy – Inhale o aplique una o dos gotas a los senos, pero no en los pezones, antes de lactar.

"Yo use Joy para ayudar aliviar el estrés y promover estrechar el enlace porque mi hija fue prematura y pasó una semana en la unidad de cuidados intensivos neonatal. Siendo todavía una niña, cada vez que está inquieta o agitada, hago que inhale Joy, se lo aplico como perfume y digo 'el gozo del Señor es mi fortaleza'" ~ Laura

ESTREÑIMIENTO

Para el bebé y el niño:

KidScents MightyVites y **KidScents MightZymes** – Para niños que están comiendo sólidos, tome una tableta masticable antes de cada comida.

Peppermint (hierba buena) – Diluir una o dos gotas y aplicar en el abdomen y frotar en forma circular como las manecillas del reloj.

Di-Gize – Aplicar diluido 1:1 o sin diluir "neat" a la parte baja del abdomen y la planta de los pies.

Fennel (hinojo) – Aplicar, sin diluir "neat," al centro de la planta de los pies y el talón.

Para la madre (generalmente, la digestión se ve amenazada en el embarazo):

Life 5 Probiotic™ – Este suplemento probiótico va a asistir en el propio funcionamiento del sistema digestivo. Tomar según indique la botella.

Comfortone™ – Si existe la tendencia hacia el estreñimiento, tomar de dos a cinco cápsulas antes del desayuno y a la hora de acostarse. Empiece con una cápsula y aumente diariamente según sea necesario. Tomar la nutrición apropiada para evitar el estreñimiento. (Ver la Guía de Nutrición en la pagina 82.) Tome ocho o más vasos de ocho onzas de agua destilada durante el día para mejores resultados. No empiece a tomar Comfortone en el último trimestre a menos que sea indicado por su médico. No hay riesgo en seguir tomando Comfortone en el tercer trimestre si se utilizo en el primero y segundo trimestre.

ICP™ - Mezcle dos cucharaditas con por lo menos ocho onzas de jugo fresco o agua y tomar diariamente. Esto contiene fibras avanzadas que recorren el colon; el aumento de fibra conduce a una mejor formación y movimiento intestinal. No tome más de una cucharadita por día después del primer trimestre.

Essentialzyme™ - Tomar de una a tres cápsulas antes de las comidas.

Balance Complete™ - Añadir dos cucharones de ocho a diez onzas de agua fría con el desayuno y/o almuerzo.

NingXia Red - Añadir otras dos a tres onzas diarias.

ESTRÍAS

Para mejores resultados, rotar estos tratamientos de aceites/ mezcla.

PREVENCIÓN:

Tender Tush - Aplicar sobre la piel unas cuantas veces al día. Puede ser aplicado con Gentle Baby después de bañarse.

Lavender (lavanda) - Mezclar una o dos gotas con el aceite portador V-6.

Gentle Baby - Mezclar una o dos gotas con el aceite portador V-6 o mezclar de dos a cuatro gotas con Rose Ointment por toda la barriga.

Valor - Aplicar unas cuantas gotas sin diluir "neat."

SOLUCIÓN PARA ESTRÍAS VIEJAS:

Continuar con el protocolo de prevención.

Gentle Baby y **Prenolone+Body Cream™** - Aplicar sobre la piel cada día después de bañarse.

FIEBRE

PARA EL BEBÉ

Peppermint (hierba buena) - Diluir 1:1 y aplicar en el ombligo.

Lavender (lavanda) - Aplicar una o dos gotas a la planta de los pies.

Thieves - Aplicar una o dos gotas a la planta de los pies.

PARA EL NIÑO:

Peppermint (hierba buena) - Aplicar sin diluir "neat" en el ombligo.

Lavender (lavanda) o **Thieves** - Aplicar una o dos gotas a la planta de los pies cada hora.

NingXia Red - Tomar una onza cada dos horas.

PARA MAMÁ, LO MISMO QUE EL NIÑO Y MÁS:

Inner Defense™ - Tomar una cápsula o más diariamente.

GRUPO ESTREPTOCOCO B

La bacteria Grupo Estreptococo B (GEB) ha sido identificada como la causa numero uno de infecciones mortales en recién nacidos. Normalmente encontrado en un cuarenta por ciento de todas las mujeres saludables, aquellas que obtienen un resultado positivo para la GEB se dice que son colonizadas. Esto no debe ser confundido con Estreptococo Grupo A, que causa la faringitis estreptocócica.

Thieves - Aplicar tres gotas en la planta de los pies cada mañana y noche.

Valor - Aplicar cinco gotas en la columna vertebral, mañana y noche.

Inner Defense - Tomar de tres a cinco cápsulas diariamente.

Life 5 Probiotic - Tomar una cápsula por la noche. Esto esta incluido en el Core Supplements.

HEMORROIDES

Rose Ointment - Aplicar sobre la piel.

Comer mucha fibra nutritiva. **Balance Complete** es una gran mezcla para bebida, nutricionalmente densa con un alto contenido en fibra y proteína y delicioso en batidos.

Mezcla de alivio para las hemorroides - Combinar los siguientes aceites con dos a cuatro gotas de aceite portador V-6 y aplicar en el área.

1 gota de **Peppermint (hierba buena)**
2 gotas de **Helichrysum (helicrisum)**
2 gotas de **Geranium (geranio)**
2 gotas de **Cypress (ciprés)**

Ungüento para las Hemorroides #1 - Use los ingredientes a continuación y siga las instrucciones de la página 28 para crear este ungüento. Aplicar hasta resolver el problema.

3 gotas de **Cypress (ciprés)**
2 gotas de **Cistus**
3 gotas de **Basil (albahaca)**
1 gota de **Spikenard (nardo)**
1 gota de **Wintergreen (gaulteria)**

Ungüento para las Hemorroides #2 - Use los ingredientes a continuación y siga las instrucciones en la página 28 para crear este ungüento. Aplicar hasta resolver el problema.

4 gotas de **Cypress (ciprés)**
2 gotas de **Myrtle (arrayán)**
2 gotas de **Myrrh (mirra)**
2 gotas de **Roman Chamomile (manzanilla romana)**

"Despues del nacimiento de Jack, yo tenia una hemorroide que era bien incomoda. Traté muchas cosas normales - más fibra, agua, etc. - y no podía conseguir que desapareciera. Finalmente, forme esta mezcla de una gota de **Peppermint (hierba buena)**, dos gotas de **Helichrysum (helicrisum)** y dos gotas de **Cypress (ciprés)** y un par de gotas de aceite portador V-6. ¡En menos de una semana había desaparecido por completo!" ~ Beverly

HERPES ZOSTER

Este virus no contagioso de la familia culebrilla, el mismo de la varicela, afecta el sistema nervioso. Empieza con fatiga, fiebre y escalofríos y envuelve dolores extremos que puede persistir por meses, hasta años. La piel se volverá sensible al tacto y una erupción o fila de ampollas se va a formar. Cualquiera persona que haya tenido varicela todavía puede albergar el virus del herpes zoster y cuando el cuerpo está bajo estrés o el sistema inmune está constantemente comprometido, el virus puede resurgir como culebrilla.

Thieves y **Oregano (orégano)** - Diluir 1:1 y aplicar a la piel en las áreas afectadas. También ingerir una o dos gotas de Thieves u Oregano (orégano) en una cápsula "00".

Ravensara, Lavender (lavanda) y **Joy** - Aplicar a la erupción y también inhalar.

Genesis Lotion™, Rose Ointment y **Cinnamint™ Lip Balm** - Aplicar muchas veces cada día o según sea necesario.
NingXia Red - Tomar un mínimo de una onza por día.
Mezcla Culebrilla:

10 gotas de **Roman Chamomile (manzanilla romana)**
5 gotas de **Lavender (lavanda)**
4 gotas de **Bergamont**
2 gotas de **Geranium (geranio)**

Técnica Gota de Lluvia - Consulte el "Essential Oils Desk Re ference" para instrucciones de esta técnica, la cual es muy útil para todo tipo de infecciones virales.

HERPES LABIAL

Ungüento Herpes Labial - Use los siguientes ingredientes y sigua las instrucciones en la página 28 para crear este ungüento. Aplicar al herpes labial muchas veces al día.

2 gotas de **Lavender (lavanda)**
2 gotas de **Melissa (melisa)**
2 gotas de **Melrose**
2 gotas de **Sandalwood (sándalo)**
1 gota de **Ravensara**
1 gota de **Thyme (tomillo)**

ICTERICIA

Esto ocurre cuando niveles anormalmente altos del pigmento de la bilis, también conocido como bilirrubina, en la corriente sanguínea puede causar la decoloración amarillenta de la piel y lo blanco de los ojos.

Di-Gize - Colocar una gota diluida con dos gotas de aceite de almendra, aceite portador V-6 o aceite de oliva. Aplicar en la planta de los pies.

Colocar al bebé cerca de una ventana o salir a darle un paseo con el fin de recibir diez minutos diarios de sol indirecto. La buena dieta de la madre, durante el embarazo y durante frecuente amamantamiento, por lo general se amaina la ictericia del recién nacido dentro de unos días.

INDIGESTIÓN

PARA EL BEBÉ Y EL NIÑO:

Di-Gize - Aplicar una gota en el abdomen, diluido 1:1.

Peppermint (hierba buena) - Aplicar una gota en la planta del pies diluido 1:10. Esto será de gran ayuda para la digestion y prevenir colicos.

PARA LA MADRE:

Peppermint (hierba buena) - Colocar una gota en la lengua.

AlkaLime - Poner una cucharadita en agua en la mañana y en la noche con el estómago vacío, puede tomar después de una comida si la indigestión es severa.

Essentialzyme - Tomar dos tabletas con la comida para ayudar en la digestión.

INFECCIÓN DE LAS VÍAS URINARIAS

Melrose - Aplicar sin diluir "neat" sobre el área de la vejiga.

Lemongrass (limoncillo), Thieves y **Melrose** - Una gota de cada uno en una onza de NingXia Red o en una cápsula tomada con agua, tres veces por día. Aplicar estos mismos aceites a la planta de los pies dos veces al día.

Arándanos "Cranberry" - Coma sin endulzar, arándanos secos o frescos o tomar de cuatro a seis onzas jugo de arándanos sin endulzar diariamente a lo largo de un día. Cápsulas de arándanos también pueden ser tomadas según se indica. Porque los arándanos pueden secar la vejiga y los riñones, no tomar durante períodos prolongados. Jugo de mora azul "blueberry" es una alternativa para aquellos que no les guste la agrura del jugo de arándanos.

K & B™ - Colocar diez gotas de tintura YL en un vaso de beber pequeño. Hierva una onza de agua y verter en el vaso con la tintura (esto elimina la base de alcohol). Permita enfriar y luego tomar. Repetir esto hasta tres veces por día.

Juniper (enebro) - Aplicar diluido 1:1 sobre la vejiga y los riñones.

INFECCIÓN DE LOS SENOS/MASTITIS/FIEBRE DE LECHE

Esto puede ocurrir si los senos no se han vaciado completamente o cuando los conductos de leche están obstruidos o si la lactancia materna se detiene abruptamente.

Geranium (geranio) (una gota), **Lavender (lavanda)** (una gota) y **Rose (rosa)** (dos gotas) - Combinar los aceites en 1.5 pintas de agua fría, meter una toallita en ella, exprima el exceso de agua y aplicar la toallita en ella, exprima el exceso de agua y aplicar la toallita al seno como una compresa fría. Repetir tan frecuente como cada hora durante el día.
Si la Fiebre Está Asociada:
Eucalyptus Globulus - Añadir cinco gotas a media cucharadita de sal de mar en una palangana con agua tibia y remojar los pies. Repetir tan frecuente como cada hora durante el día.
Melrose - Aplicar una compresa tibia a un conducto de leche obstruido.

INFECCIÓN RESPIRATORIA (ver también TOS y CONGESTIÓN)

PARA EL BEBE:
R.C. - Diluir 1:1 o sin diluir "neat" al pecho del bebé.
PARA LA MADRE:
Peppermint (hierba buena), R.C., Thieves o Frankincense (incienso) - Diluir 1:1 y aplicar en el pecho y los pies varias veces cada día.

INFECCIONES DE OÍDO

Ledum o **Melrose** - Diluir 1:10 y aplica una o dos gotas alrededor de todo el oído externo, bajando por el cuello y en los pies varias veces al día.
Thieves - Aplicar una o dos gotas a los pies.
Nota sobre la Plata Coloidal: En casos raros, con una larga infección en el oído con el paso siguiente sería los tubos en el oído, el autor recomendaría unas pocas gotas en el oído de Plata Coloidal grado farmacéutico. Para dolores de oído en general, los aceites esenciales son usualmente suficientes.
SOLO PARA CASOS EXTREMOS - Como se mencionó anteriormente en la página 23, no es recomendable poner los aceites esenciales directamente en el canal auditivo. Hay una excepción, pero solo bajo las siguientes directrices: restringir el uso de un.chupete; eliminando todo el consumo de leche, incluyendo

cruda de vaca o de cabra; asegurándose que los intestinos estén funcionando correctamente, de dos a tres veces diariamente; y los aceites antes mencionados en la parte externa del oído no alivian el dolor y las molestias. Utilizar las siguientes recetas con confianza sin hacer ninguna substitución o excepción para la eficacia y seguridad. Mezcle los siguientes en un frasco gotero de un cuarto de onza o menos:

10 gotas de Aceite portador V-6 o aceite de oliva de prim era prension fría
1 gota de **Lavender (lavanda)**
1 gota de **Melrose**

Utilizar una gota de esta mezcla en cada oído de una a tres veces por día. Rara vez se necesita más de una vez al día.
PARA EDADES DE DOS EN ADELANTE (la misma aplicación anterior puede utilizarse con los siguientes aumentos):

10 gotas de Aceite portador V-6
2 gotas de **St. Marie's Lavender**
2 gotas de **Melrose**

"Mi bebé de seis meses tenía una infección de oído realmente mala. Lo llevamos al doctor y después de pasar por tres rondas de antibióticos, finalmente, el pediatra sugirió una inyección de antibióticos. No me gustó nada su sugerencia, y ella dijo que tendríamos que ir a un especialista en oídos, nariz y garganta y ponerle tubos en sus oídos. El Otorrinolaringólogo no pudo vernos por dos semanas, así que llamamos al naturopata que recientemente habíamos conocido y le preguntamos que podríamos hacer. Ya la infección llevaba un par de meses y solo se estaba poniendo peor. Ella nos dijo que le quitáramos los productos lácteos de su dieta, que frotara **Ledum** debajo de su oreja y hacia su cuello, que frotara **Thieves** en sus pies y aplicara la **Plata Coloidal** en su oído. Cuando fuimos al Otorrinolaringólogo dos semanas después, le examino sus oídos y dijo que no había señal de infección. Nos preguntó que habíamos hecho y por supuesto, en su mente, nada de esto hizo ninguna diferencia. Yo sabía que fueron los aceites los que mataron esta infección." ~ Beverly

"Mi bebé de seis meses estaba molesta y halándose sus orejas, así que use la mezcla de **Melrose** en su oído varias veces al día. También le aplique **Ledum** con movimientos hacia abajo desde su oreja hasta su barbilla. Ella estaba teniendo dificultades para dormir y también estaba congestionada así que la puse en posición inclinada. Después de ponerle los aceites en sus oídos con una bolita de algodón, ella durmió por horas sin estar molesta. Ahora he aprendido que si no como mucho lácteos mientras este lactando, podemos prevenir cualquier congestión y problemas de oído con ella." ~ Jeanette

"Nuestros amigos estaban planeando viajar de nuevo con su hija de dos años y no querían revivir un vuelo anterior en el cual ella estuvo bien agitada e inquieta. Ellos usaron **Peace & Calming** antes del vuelo y la niña durmió la noche entera por primera vez en semanas. Durante el vuelo, la niña estuvo calmada y el **Melrose** ayudo a aliviar cualquier presión que ella o su mamá sintieron durante el despegue y el aterrizaje." ~ Laura

INFECCIONES MICÓTICAS

Estas pueden aparecer en la piel, entre los dedos de los pies o en los pliegues de la piel.

Eucalyptus blue – Aplicar una gota sin diluir "neat" en el área. Puede ser diluido, pero este aceite típicamente no causa sensibilidad en la piel.

Ungüento para el pie de atleta – Utilizar los ingredientes a continuación y seguir las instrucciones en la página 26 para crear este ungüento. Aplicar en los pies y los dedos limpios dos veces al día.

2 gotas de **Abundance**
2 gotas de **Melrose**
1 gota de **Thieves**

PARA LA MADRE:

Ungüento femenino – Utilizar los ingredientes a continuación y seguir las instrucciones en la página 28 para crear este ungüento. Este puede ser usado sobre la piel o como una inserción durante el embarazo o la lactancia para la picazón, el herpes genital, cándida y las infecciones.

3 gotas de **Gentle Baby**
3 gotas de **3 Wise Men**
3 gotas de **Patchouli (pachuli)**
1 gota de **Rosewood (palisandro)**

INFECCIONES POR HONGOS (también ver CANDIDIASIS BUCAL)

Una infección causada por cepas de cándida, especialmente cándida albicanas, que generalmente reside en el tracto intestinal. Este sobre-crecimiento puede estar presente en las membranas mucosas de la boca y la vagina.

PARA EL BEBÉ (si la mamá amamantando tiene una infección por hongos)

Melrose - Aplicar diluido 1:1 o sin diluir "neat" en la parte inferior del abdomen.

PARA MAMÁ:

Melrose - Aplique diluido 1:1 o sin diluir "neat" en la parte inferior del abdomen.

Life 5 Probiotic - Tomar una cápsula en la noche después de la cena. Tomar una en la mañana si la infección se ha extendido.

Inner Defense - Tomar una diariamente con las comidas, preferiblemente cuatro horas de diferencia de la cápsula Life 5 Probiotic. Limite el consumo de azúcar y carbohidratos refinados, que pueden alimentar la cándida.

INSOMNIO

Peace & Calming - Diluir 1:2 y aplicar en la planta de los pies a la hora de la siesta o la hora de dormir. También puede difundir de veinte a treinta minutos en el cuarto antes de acostarse.

Lavender (lavanda) - La misma aplicación a la anterior y aplicar unas pocas gotas a la almohada o poner en el agua de baño.

Valor - Aplicar en la planta de los pies antes de la hora de dormir.

Tranquility Roll-On - Aplicar debajo de la nariz, parte posterior del cuello, plantas de los pies y en las muñecas. También inhalar.

LA COSTRA LÁCTEA

El término médico es dermatitis seborreica, y describe la inflamación de las capas superiores de la piel, causando escamas en el cuero cabelludo, en la cara y ocasionalmente en otras áreas. Esta condición puede ser causada por un consumo bajo de biotina en la dieta de la madre. Consulte el libro del autor "Nutrition 101: Choose Life!" para información sobre como obtener la biotina en los alimentos.

Lavender (lavanda) - Diluir o use sin diluir "neat" el área afectada.

Melrose - Diluir o utilizar sin diluir "neat" el área afectada.

Rose Ointment - Aplicar al cuero cabelludo. Esto también puede ser combinado con una gota de uno o ambos de los dos aceites antes mencionados.

LA PIEL

PARA BEBÉ:

Rose (rosa) - Diluir 1:30 con aceite dulce de almendra y aplicar a la piel.

Rose Ointment - Aplicar en los puntos secos o por todo el cuerpo.

KidScents Lotion - Aplicar a todo el cuerpo.

Animal Scents Ointment - Aplicar al área afectada.

PARA MAMÁ:

Genesis Lotion - Aplicar a todo el cuerpo. Mezcla para la picazón en la piel para el embarazo.

Mezcla placentera para la piel de mamá - Combinar los siguientes ingredientes y aplicar la mezcla tan a menudo como cada día para mojar la piel después de la ducha, especialmente en la barriga creciente. Esto puede ayudar a aliviar la picazón y puede ser de beneficio para las estrías.

2 ½ cucharadas de aceite de almendra
½ cucharada de aceite jojoba
1 cápsula de **Evening Primrose** (aproximadamente diez gotas)
1 cápsula de Vitamina E (aproximadamente diez gotas)
4 gotas de **Tangerine (tangerina)**
4 gotas de **Geranium (geranio)**

4 gotas de **Lavender (lavanda)**
4 gotas de **Cypress (ciprés)**
3 gotas de **Lemon (limón)**

Mezcla de aceites gotas de oro para el cutis – Utilizar los ingredientes a continuación para crear esta mezcla. Aplicar a la cara, cuello, brazos para una piel radiante y de aspecto sano. La receta puede ser reducida a menor cantidad, pero es mejor si es embotellada en botellas de media onza.

2 onzas de aceite de almendra
1 onza de aceite jojoba
2 onzas de aceite Evening Primrose
40 gotas aceite de Vitamina E
48 gotas de **Patchouli (pachuli)**
40 gotas de **Frankincense (incienso)**
24 gotas de **Geranium (geranio)**
16 gotas de **Rosewood (palisandro)**
16 gotas de **Lavender (lavanda)**
5 gotas de **Rose (rosa)**

"Durante el embarazo yo mantengo una botella de **Gentle Baby** y **Tender Tush** en la ducha. Cuando termino con mi ducha caliente, me aplico ambos a mi barriga – Yo no tuve ninguna estría fuera de este embarazo. Ojala hubiese sabido esto para mis primeros tres embarazos." ~ Beverly

"Según mi abdomen comenzó a crecer, me aplicaba un ungüento casero noche y día para prevenir sentir resequedad y picor. El ungüento, hecho con los aceites esenciales YL, comenzó a remover viejas marcas por elasticidad y previno que me salieran más. Yo tenía la barriga mas linda nunca antes vista. Yo pude haber estado en una revista sin retoque alguno." ~ Karen

"Toda mi vida yo he tratado con soriasis, el cual es un problema bien complejo que incluye dieta, enzimas, cándida, salud digestiva e incluso salud emocional. Lo primero que yo hice para enfrentar la soriasis, fue deshacerme de todas las toxinas que se encontraban en mi casa – desde mis productos de cuidado personal a los limpiadores domésticos – y cambie a los productos de Yong Living para pasta de dientes, jabones, gel de baño, champú, acondicionadores y el limpiador para la casa Thieves. También, mejore mi dieta, empecé a tomar **NingXia Red** diariamente, removiendo impurezas y complementando con Core Complete y un consumo diario de los aceites esenciales. Después de tres años y medio, encontré que la soriasis mejoró un poco alrededor de mi cuerpo. En la Primavera del 2009 empecé a usar el nuevo **Lavender Hand and Body Lotion.** Después de uno o dos meses de usar esta loción, me di cuenta que el peor parche – en mi codo izquierdo – desapareció totalmente, al igual que en mis manos y pies!" ~ Sera

LACTANCIA

PARA AUMENTAR:

Fennel (hinojo) – Tragar dos gotas de aceite en una cucharadita de miel cada dos horas. Seguir con un vaso de agua.

Joy – Inhalar para ayudar a calmar y suavizar el estrés ya que puede tener una interferencia negativa con la lactancia.

Prepare y disfrute de un batido verde en la pagina 85.

PARA DISMINUIR:

Clary Sage (salvia sclarea) – Ingerir dos gotas y aplicar sin diluir "neat" en cada pecho dos o tres veces al día.

Peppermint (hierba buena) – Cinco gotas oralmente varias veces al día.

*La mayoría de los libros de hierbas van a recomendar evitar el Peppermint (hierba buena) durante la lactancia ya que puede disminuir el suministro de leche; sin embargo, yo lo he recomendado para madres quienes han reportado que el Peppermint (hierba buena) de YLTG no afectó su lactancia. Ver Reforzadores de Formula en la página 52 si necesita suplementos.

"Yo he perdido mi leche alrededor de seis u ocho meses con cada niño que he tenido. Con mi cuarto empecé a perderla a los cinco meses. Leí sobre usar Fennel (hinojo) y empecé a poner una gota en mi botella de agua cada día y a frotarlo en mi pecho. Yo vi los resultados en unas pocas horas, y mi suministro de leche esta aumentando. Después de Jack, no lacte por dos días ya que debido a congestión mi suministro de leche estaba bajo. Yo tomé una gota de **Fennel (hinojo)** abajo de la lengua y frote una o dos gotas sobre el pecho, y mi suministro de leche ha aumentado visiblemente." ~ Beverly

"Un especialista en lactancia determinó que los problemas que tenia mi hija Shula con el amamantamiento, eran debido a que yo estaba produciendo demasiada leche, provocando que la fuerza de eyección fuera muy fuerte. Sacando el exceso de leche sería sólo un arreglo temporero, ya que mi cerebro todavía estaría motivado a seguir produciendo una sobreabundancia de leche. Mis pechos se habían vuelto adoloridos e inflamados con durezas en cada uno de ellos, y mi hija comía por cortos periodos que no había ningún alivio. Yo tomé dos gotas de **Clary Sage (salvia sclarea)** oralmente, y frote dos gotas sin diluir "neat" por pecho dos veces el primer día y tres veces el segundo día para disminuir mi suministro de leche. También, me extraía la leche con la mano por veinte a treinta segundos antes de cada alimentación para suavizar la aureola y disminuir la fuerza de eyección sin estimular mi cerebro a producir más leche. Finalmente, alimentaba a Shula cada tres horas, y me he quedaba en el mismo ceno por dos o tres alimentaciones corridas. Al tercer día, habían desaparecido la inflamación y protuberancias dolorosas, y mi suministro de leche estaba mucho más manejable." ~ Shannon

LLANTO DE UN BEBÉ

Peace & Calming – Aplicar sin diluir "neat" en los pies y en la parte posterior del cuello. También ponga al bebé a oler el aceite de las manos de un adulto.

Lavender (lavanda) y Joy – Poner al bebé a oler el aceite de las manos de un adulto.

"Cuando mi recién nacido está llorando y sé que él no tiene hambre, está mojado, o con sueño, acerco diferentes aceites en su nariz para el olerlos. La mayor parte del tiempo, el deja de llorar según va experimentando este nuevo olor e incluso se calma como si se le olvidara por que estaba llorando. Con el experimentar con diferentes aceites como este, he encontrado que uno de sus favoritos es **Lavender (lavanda)**. Realmente ayudan a calmarlo." ~ Sera

MASAGES

Ver la página 25 para información más detallada en masaje infantil.

Peace & Calming, Lavender (lavanda), Di-Gize, Gentle Baby, Valor, R.C. y Joy o **Relaxation Massage Oil™** - Aplicar el aceite de su elección (otros también aceptables dependiendo de los resultados deseados), diluido en 1:1, en el bebé.

Mezcla de aceite de masaje personalizado

Empiece con una base de una onza de aceite portador V-6. Añada a la base diez gotas del aceite favorito del bebé - al aceite que él o ella responda mejor. Al realizar un masaje específico para un problema de salud, seleccione un aceite recomendado de la Guía de Síntomas bajo ese tema específico. Poner etiqueta en todas las mezclas para uso futuro.

"Yo trabaje con un bebé varon de dos meses que los doctores querían operar porque estaba teniendo muchos problemas al digerir la leche de su madre. En todos mis tratamientos para niños, yo primero coloco una gota de un aceite de Young Living y una gota de aceite portador V-6 en mis manos antes de empezar a tratar al niño. Yo le doy masaje a su estómago ligeramente como las manecillas del reloj por varios minutos con **Di-Gize** diluido con el aceite portador V-6. Yo vire al niño en su estómago y di masaje a su espalda (T12-L2) con la misma moción usando el aceite Gentle Baby y el aceite portador V-6. Entonces comencé a masajear el resto de su cuerpo con Peace & Calming y el aceite portador V-6. Aunque el había estado llorando cuando sus padres lo trajeron a mi oficina, rápido se durmió antes que terminara el tratamiento. Este procedimiento tomó como treinta minutos. Al día siguiente la madre del niño me llamo y me dijo que su bebé había dormido toda la noche y que había botado una masa negra fea en su evacuación. Este niño no había dormido toda la noche desde que nació y siempre estaba gritando de dolor. Los doctores creían que había que hacerle una cirugía exploratoria para averiguar cual era el problema principal en el sistema digestivo del niño. Se evito la cirugía. Ahora los padres utilizan estos aceites YL en todos sus niños para mantenerlos saludables." ~ Margaret Núñez, L.M.T., M.T.I.

MIEDO (también ver APOYO EMOCIONAL)

PARA EL BEBÉ Y EL NIÑO:

Valor - Aplicar o utilizar el "roll-on" en la parte de atrás del cuello, los pies e inhale diariamente según sea necesario.

PARA MAMA:

Valor, Surrender y **Believe** - Usar como perfume e inhalar según sea necesario para ayudar con el valor y enfoque y disipar cualquier temor asociado con el embarazo y el parto.

"Yo use **Present Time** y **Surrender** para ayudarme con el miedo de pujar, y fue increíble como de rápido salio Jack!" ~ Beverly

MOJADO DE CAMA

Melrose - Aplicar puro "neat" sobre la vejiga.

Omega Blue™ - Perforar una cápsula de esta mezcla única de aceite de pescado y aceites esenciales complejo y vaciar el contenido en una cuchara de Blue Agave de YL, puré de manzana o leche de arroz y consuma con la cena.

Peace & Calming y **Valor** - Aplicar en la planta del pie a la hora de dormir. Saque todas las bebidas carbonatadas de la dieta completamente, ya que estas forman ácidos y pueden irritar los riñones y la vejiga, empeorando esta condición. Detenga todos los líquidos dos horas antes de acostarse.

"Mi hija empezó a tomar una cápsula de Omega Blue cada día para ayudarle con su inexplicable mojado de cama, un problema que ha tenido desde que era una niña. Desde el día que empezó a tomar **Omega Blue**, nunca volvió a mojar la cama; fue bien efectivo." ~ Sera

NACIMIENTO EN AGUA, DURANTE

Peace & Calming o **Lavender (lavanda)** - Mezclar diez gotas de cualquiera de los dos al agua de baño con media cucharadita de sal para relajarte.

NAUSEA (ver también la GUÍA de NUTRICIÓN en la pagina 82)

Di-Gize - Frotar sobre el abdomen y poner una gota en el dedo en el interior de las mejillas.
Thieves - Ingerir de dos a cuatro gotas en agua. Aplicar unas pocas gotas en los pies.
Sandalwood (sándalo) - Frotar una o dos gotas sobre el abdomen.
PD 80/20™ - Utilizar según indicado después de consultar con un proveedor de salud.
Peppermint (hierba buena) - Aplicar en la lengua, una gota a la vez. También, poner una gota en las manos y en forma de copa cubrir nariz y boca, luego inhalar.
Lemon (limón) (u otro de los aceites cítricos de Young Living) - Mezclar cinco gotas con un cuarto de galón de agua pura en un recipiente de cristal y tomar de él todo el día para purificar el sistema linfático. No ponga el aceite en un recipiente de plástico porque va a reaccionar con los productos petroquímicos
NingXia Red - Tomar de una a dos onzas al día por la mañana.
Di-Gize - Frotar una gota en el interior de las mejillas de la boca y sobre el estómago e inhalar.
Melissa (melisa) - Inhalar y utilizar en un baño de pies.
Té de hierbas casero para la nauseas matutinas - (ver la receta a continuación en la página 63)
Core Supplements, JuvaPower®, MultiGreens™, Balance Complete, Mineral Essence y **NingXia Red** - Utilizar según indicado para impulsar la nutrición.

NAUSEAS MATUTINAS (también ver NAUSEAS)

Té de hierbas casero para las nauseas matutinas

1 cucharadita de clavo
1 cucharadita de hierba Ruibarbo de Turquia
1 cucharadita de canela
1 onza de menta fresca o seca

Hierva a fuego lento las primeras tres hierbas en una pinta de agua por cinco minutos. Vierta esta decocción sobre la menta en un frasco de vidrio y asegure la tapa. Dejar infundir hasta que se enfríe o veinte minutos, luego colar. Tomar dos cucharas a un cuarto de taza cada hora hasta que las nauseas se calmen. (Provisto por Sandra Ellis, M.H.)

NUTRICIÓN (ver **RÉGIMEN DIETÉTICO DURANTE EL EMBARAZO** y **GUÍA de NUTRICIÓN en la página 82**)

PÁNICO (ver también APOYO EMOCIONAL)

Peace & Calming - Aplicar en el cuerpo, pecho y muñecas o difundir o utilizar en un baño.
Lavender (lavanda) - La misma aplicación que el anterior.

PARTO Y NACIMIENTO

Por favor tenga en cuenta, que con tantas recomendaciones, las madres deben tomar un tiempo de 'esperar y ver' para obtener los resultados deseados. La cantidad de aceite puede variar de caso en caso dependiendo en las experiencias anteriores de una madre. Todos estos aceites pueden ser difundidos, inhalados directamente o, de dos a cuatro gotas añadida al agua de baño.
PARA DETENER EL PARTO PREMATURO:
Lavender (lavanda) - Aplicar unas pocas gotas en la barriga para calmar y ayudar a relajar a mamá.
Peace & Calming - Aplicar una gota en el corazón y el plexo solar (tórax), o difundir.
Fennel (hinojo) - Aplicar cinco a siete gotas en la planta de los pies.
INDUCIR EL PARTO:
Jasmine (jazmín) - Aplicar como un perfume o inhale. No use internamente.
DURANTE EL PARTO:
Mezcla para el parto - Mezclar los siguientes aceites con media onza de aceite portador V-6 para usarse solo después que empiece el parto. Masaje de dos a cuatro gotas de la mezcla dentro de los tobillos, en los dedos pequeños de los pies y mano,

bajo vientre y espalda.

4 gotas de **Helichrysum (helicrisum)**
4 gotas de **Fennel (hinojo)**
2 gotas de **Peppermint (hierba buena)**
6 gotas de **Ylang Ylang**
3 gotas de **Clary Sage (salvia sclarea)**

Frankincense (incienso) – Diluir 1:1 y aplicar alrededor de la apertura vaginal.

Valor – Aplicar de cuatro a seis gotas en las muñecas, el pecho, la parte posterior cuello y/o en la planta de los pies. Esperar de cinco a diez minutos antes de aplicar otro aceite.

Peace & Calming – Aplicar una gota en las muñecas, al borde de las orejas, y/o a las plantas de los pies.

Brain Power – Aplicar una o dos gotas en el cuello, garganta, en las sienes, y/o debajo de la nariz. También, una o dos gotas pueden ser aplicadas con un dedo en la boca en el interior de las mejillas.

En-R-Gee – Aplicar en la columna vertebral y/o de una a dos gotas en las muñecas, las sienes, parte posterior del cuello, detrás de las orejas o pies.

Fennel (hinojo) y **Ylang Ylang** – Aplicar una o dos gotas de cualquiera o usar los dos en los puntos "Vita Flex" de los pies para adelantar el parto.

Valor – Difundir una o dos gotas en el pecho, parte posterior del cuello y la base de la columna vertebral durante la transición del parto/pujar.

MEZCLA PARA DIFUNDIR

40 gotas de **Lavender (lavanda)**
37 gotas de **Frankincense (incienso)**
21 gotas de **Ylang Ylang**
20 gotas de **Roman Chamomile (manzanilla romana)**
Difundir en la sala de parto.

Mezcla para la toallita – Colocar los siguientes aceites en un envase de agua, remojar la toallita adentro y usar para refrescar la cabeza y cara de mamá.

10 gotas de **Jasmine (jazmín)**
5 gotas de **Roman Chamomile (manzanilla romana)**
5 gotas de **Geranium (geranio)**

20 gotas de **Lavender (lavanda)**

Mezcla después del parto - Usar los siguientes aceites con un aceite portador en el abdomen para ayudar a expulsar la placenta y el tono útero.

10 gotas de **Geranium (geranio)**
10 gotas de **Lavender (lavanda)**
15 gotas de **Jasmine (jazmín)**

PEZONES ADOLORIDOS

Rose (rosa) - Mezclar una o dos gotas en veinte gotas de aceite de almendra dulce o el aceite portador V-6.

Rose Ointment - Aplicar sobre la piel según sea necesario.

Nursing mom's best friend ointment - Usar los ingredientes a continuación y siga las instrucciones en la pagina 28 para crear este ungüento. Aplicar a los pezones secos, con grietas después de lactar y limpie antes de lactar para evitar un mal sabor en la boca del bebe.

4 gotas de **Geranium (geranio)**
2 gotas de **St. Marie's Lavender**
2 gotas de **Myrrh (mirra)**
2 gotas de **Gentle Baby**

PICADAS DE INSECTOS

Purification - Aplicar una gota en la picada. Para prevención, aplicar una o dos gotas a la planta del pie diariamente.

Roceador repelente de insectos - Suficientemente suave para bebés. Por cada cuatro onzas de agua destilada añada cinco gotas de **Purification** y cinco gotas de **Peppermint (hierba buena)**.

"Yo tengo unos pocos niños que se hinchan inmediatamente con cualquier picada de insectos. Solo un poco de aceite **Purification** y las picadas desaparecen en minutos." ~ Jeanette

"A finales del verano y comienzos del otoño, le pongo **Purification** en los pies de mi recién nacida todos los días para combatir cualquier germen que mi esposo, que es maestro y entrenador, pueda traer a la casa. La bebé permaneció saludable, y como un beneficio añadido, me di cuenta que ni ella ni yo teníamos las picadas de mosquitos que fueran posibles en todo el año en el Sur de Texas." ~ Laura

PICAZÓN (también ver PIEL e INFECCIONES MICOTICAS)

Rose (rosa) y **Peppermint (hierba buena)** - Colocar una gota de cada uno en media cucharadita de sal marina. Añada al agua de baño para hacer un baño de asiento.

Rose Ointment - Aplicar en el área.

Lavaderm Cooling Mist - Rociar en el área.

ClaraDerm Spray - Rociar en el área.

Roman Chamomile (manzanilla romana) - Aplicar sobre la piel y puede ser combinado con el Rose Ointment.

PLACENTA PREVIA (ver la pagina 33)

PLANTA TREPADORA "POISON IVY"

Para todos:

ClaraDermSpray - Rociar en el área afectada, repita cada hora hasta que la condición sea resuelta.

PARA TODOS EDADES DE DOS EN ADELANTE:

KidScents MightyZymes - Tomar las tabletas entre comidas (hasta ocho por día).

PRESIÓN SANGUÍNEA/HIPERTENSIÓN

Preclampsia, también conocida como toxemia o hipertensión inducida por el embarazo es una forma de presión sanguínea alta asociada con altas cantidades de proteína en la orina y ocurre durante el embarazo y el periodo después del embarazo.

Aroma Life™ - Aplicar una o dos gotas en el área del corazón y en la muñeca interior para normalizar la presión sanguínea baja. También inhalar.

Clary Sage (salvia sclarea) - Aplicar una o dos gotas en el área del corazón y en la muñeca interior para bajar y normalizarla.

NingXia Red™ - Tomar de una a dos onzas para normalizarla.

Lavender (lavanda) - Inhalar cada cinco minutos hasta tener los resultados deseados. Colocando una gota en la lengua puede bajar la presión arterial.

REFLUJO ÁCIDO (también ver Indigestión y Cólico)

AlkaLime™ - Mezclar una cucharadita en agua por la mañana y por la noche con el estómago vacío. También puede tomarse después de una comida si la indigestión causa molestia.

REFORZADORES DE FÓRMULA

Muchas madres se enfrentan a un dilema: ya sea que su leche no es suficiente para el bebé (incluso después de utilizar las sugerencias para aumentar la leche en la página 66) o no están amamantando y quieren complementar la formula tradicional. Los siguientes reforzadores no deben usarse en lugar de la formula regular, pero puede ser usado con la lactancia materna o con la formula regular, especialmente cuando el suministro de leche es bajo o el bebé no esta aumentando de peso adecuadamente.

Receta para reforzar:

6 onzas de agua purificada
½ cucharón de **Power Meal** (aminoácido y nutriente rico en polvo)
½ cucharón de **Pure Protein** (el lactosuero en polvo que contiene 13 gramos de proteína por porción)
1 cucharadita a 1 cucharada de **NingXia Red**

Mezclar bien en una licuadora. Esto también puede mezclarse con leche de cabra o leche de arroz. Usar dos veces al día.

RÉGIMEN DIETÉTICA DURANTE EL EMBARAZO (ver Guía de Nutricion en la pagina 82)

NingXia Red - Tome de dos a tres onzas diariamente.
Core Supplements™ - Tomar diariamente según indicado.
Omega Blue - Tomar tres cápsulas adicionales, totalizando a seis diarias, incluyendo lo que esta en el Core Supplments Pack.
Agua pura - Ingerir la mitad de su peso en onzas, más veinte onzas adicionales para evitar la hinchazón en las manos, las piernas y los pies. Esto también ayuda a prevenir la nausea.
Pure Protein Complete™ - Tomar como indicado para proteína adicional, especialmente para el desayuno. Comer muchos vegetales y frutas frescas.

RETENCIÓN DE AGUA (ver EDEMA)

ROSÁCEA (ver también PIEL)

Con frecuencia aparecen en la cara, parpados, codos y cuello. Rosácea, también conocida como acne de adulto puede llevar ambas limpiezas interna o externa de los aceites esenciales para proporcionar alivio completo.

Lavender Hand & Body Lotion - Aplicar al área afectada de dos a tres veces cada día hasta resolverlo.

SANGRADO, externo

Tsuga (tuya) - Aplicar externamente sobre la localización.

Geranium (geranio) - Aplicar una a dos gotas directamente en la localización del sangrado. Esto es especialmente bueno para el cordón umbilical y el ombligo. Puede ser diluido.

Rose Ointment™ - Aplicar localmente en el área.

Helichrysum (helicrisum) - Aplicar una a dos gotas a la piel en la localización del sangrado. Aplicar presión ligera y repetir si es necesario.

NOTA: Con sangrado en la piel, lave el área con agua limpia y fría, luego cubra la piel con una gasa húmeda o un paño y aplicar presión. Aplicar los aceites **Tsuga (tuya)** o **Helichrysum (helicrisum)** al área y vuelva a cubrir. Chequear en cinco a diez minutos. Si se necesita puntos de sutura, vaya a la facilidad médica más cercana. En casi todos los casos de sangrado leve, el aceite de **Tsuga (tuya)** y una pequeña cantidad de Rose Ointment es todo lo requerido.

SANGRADO, interno para la madre:

Si esta sangrando vaginalmente, consulte a una comadrona o un doctor inmediatamente.

Te para shock - Para este remedio casero, utilizar una taza de agua caliente, tres cucharadas de vinagre de cidra de manzana, una cucharadita de pimienta de cayena y tres cucharadas de miel (opcional). Revuelva todos juntos y tome con un sorbete.

Helichrysum (helicrisum) - Tomar una cápsula "00" y buscar atención médica inmediatamente.

Trauma Life - Aplicar externamente en las muñecas e inhalar para reducir la presión de el problema.

SARPULLIDO DEL PAÑAL

Evite productos comerciales que contengan irritantes como el talco y el aceite mineral.

Gentle Baby - Diluir 1:30 con el aceite portador V-6 de YL o aceite de almendra y aplicar sobre la localización.

Tender Tush™ - Aplicar sobre la piel.

Animal Scents™ Ointment - Aplicar sobre la piel.

Rose Ointment - Aplicar sobre la piel.

Receta ungüento de pañal - Utilizar los ingredientes a continuación y seguir las instrucciones en la página 28 para crear este ungüento. Aplicar muchas veces al día.

4 gotas de **Gentle Baby**
2 gotas de **Lavender (lavanda)**
2 gotas de **German Chamomile (manzanilla alemana)**
1 gota de **Cypress (ciprés)**
1 gota de **Melrose**

Alternativa a talco de bebé - Mezclar dos cucharadas de maicena con cinco gotas de aceite esencial ya sea **Lavender (lavanda)**, **Rose (rosa)** o **Gentle Baby**. Cierna juntos varias veces hasta que este bien mezclado. Guarde en un envase bien sellado.

Alternativa a aceite de bebé - Mezclar dos cucharadas de aceite de avellana, aceite de oliva o el aceite portador V-6 con cinco gotas de **Lavender (lavanda)** o **Gentle Baby**. Guardar en un envase bien sellado.

Toallitas de bebé hechas en casa

Coge un rollo de papel toalla natural, el cual típicamente son color marrón y hechos de papel reciclado y no contiene químicos, solo 100 por ciento algodón/fibras naturales. Corta el rollo por la mitad usando un cuchillo de sierra. Consigua un envase redondo limpio con una tapa apretada que va aguantar la mitad del rollo. Aplana el rollo y luego saque el cartón interior. Coloque la mitad del rollo en el envase. En un envase separado, añada:

2 tazas de agua destilada o hervida que ha alcanzado la temperatura ambiente

2 cucharadas de champú Lavender (lavanda) de YL o champú KidScents
2 cucharadas de aceite portador V-6
5 gotas de cualquier aceite esencial de YL de su elección, como **Lavender (lavanda), Gentle Baby, Sandalwood (sándalo), Frankincense (incienso),** o **Rosewood (palisandro).**

(Añadir los aceites esenciales es opcional porque el champú de Young Living contiene aceites esenciales de grado terapéutico.) Bata la mezcla bien y vierta sobre el envase del rollo aplanado. Cúbrir y déjar reposar toda la noche para absorber todo el líquido. Cuando este listo para usarlo, abrir el envase y sacar una toallita del centro, arránquela y úsela. Cierre la tapa firmemente entre usadas para evitar secarse del todo. Si las toallitas se secan, añadir unas pocas cucharadas de agua estéril para rehidratar. Solo utilize aceites esenciales de marca Young Living.

"Mi bebe de tres meses tenia un sarpullido de pañal severo. Provee todos los ungüentos normales y no estaba llegando a ningún sitio. Un día le puse Bert's Bees, y comenzó a gritar. Lo puse en la bañera, le di un lavado y decidí aplicarle Tender Tush. El comenzó a reírse de mí mientras se lo aplicaba! El sarpullido se le fue al día siguiente!" ~ Beverly

TÓNICOS DEL ÚTERO

Jazmin, Clary Sage (salvia sclarea), Frankincense (incienso), Ylang Ylang, Nutmeg (nuez moscada) y **Cistus** - Aplicar una a dos gotas de cada uno o todos sobre la piel en la parte inferior del abdomen. Cistus es especialmente bueno para reconstruir fuerzas después que las cesáreas debilitan el útero.

TOSIENDO (también ver INFECCIÓN RESPIRATORIA y TOS FERINA)

Lemon (limón) y Purification™ - Difundir varias gotas de uno o ambos como veinte minutos en el cuarto antes de acostarse.
Lemon (limón) - Ingerir una o dos gotas en una cucharadita de jarabe de arce "Maple Syrup" grado B o el Blue Agave de YL.

Thieves - Colocar una o dos gotas en la planta del pie.
Peace & Calming - Colocar unas pocas gotas en el pecho mezclado con unas pocas gotas de un aceite portador.
Cataplasma casera de cebolla y ajo:

Una cebolla pequeña cortada en trozos grandes
Una cucharadita de ajo fresco, picado
Dos cucharadas de aceite de oliva

Colocar la cebolla cortada en un molde para hornear de vidrio y caliente en el horno a 350ºF por veinte minutos, o hasta que la cebolla comience a ponerse clara y viscosa. Quitar del horno y verter la cebolla en un plato hondo limpio. Añada el ajo y el aceite de oliva. Dejar enfriar hasta que este tibio, pero no caliente. Si prefiere, el aceite puede ser colado para sacarle los trozos, que puede hacer de esto un desorden. En cambio, la autora prefiere usar los trozos. Colocar el aceite en el pecho del bebé, cúbralo con un paño húmedo y tibio. Ahora cúbralo con otro paño seco o toalla. Dejar que la cataplasma permanezca en el pecho y permita que el bebé descanse por dos horas. Quitar la cataplasma.

"Cuando Joshua tenia diez meses de nacido, tuvo un virus respiratorio superior severo. Al momento yo no tenía ningún aceite esencial de Young Living, pues esa mañana trate la **cataplasma de cebolla y ajo**. Después de la primera aplicación, la congestión empezó a romperse, y el estaba teniendo una tos productiva. Luego, unas pocas horas después, lo hice de nuevo. Por la noche, sus pulmones estaban totalmente claros, ¡y durmió muy bien! ~ Sera

TOS FERINA (ver también TOS e INFECCIÓN RESPIRATORIA) Roman Chamomile (manzanilla romana) - Difundir varias gotas de quince a veinte minutos durante todo el día. Si el difusor no esta disponible, ponga tres gotas en agua caliente y coloca a una distancia segura del bebé, esto permite al bebé oler los vapores.

TRAUMA (también ver APOYO EMOCIONAL y DESGARRE DEL PERINEO)

Trauma Life - Diluir 1:30 con el aceite portador V-6 y aplicar a la madre y al niño después de nacido para combatir traumas físicos y psico-emocional. Aplicar por todo el cuerpo o directamente en la columna vertebral y los pies después de su nacimiento.

VARICELA

La varicela o culebrilla, esta relacionado al virus del herpes simple. A diferencia de la culebrilla - lo que el herpes zoster es llamado cuando se manifiesta en adultos - la varicela es altamente contagiosa.

ClaraDerm Spray - Rocíar en la erupción para aliviar la picazón.
Australian Blue, Roman Chamomile (manzanilla romana), Lavender (lavanda), Melrose y **Ravensara** - Aplicar una gota de cada uno en la planta de los pies tres veces al día al principio.
NingXia Red - Tomar una onza diariamente.
Ravensara - Diluir 1:1 con el aceite portador V-6 y tocar en puntos.
Técnica Gota de Lluvia - Consulte el "Essential Oils Desk Reference" para instrucciones en esta técnica, es bien útil para todo tipo de condiciones virales incluyendo la varicela, la culebrilla y el sarampión.

VIRUS RESPIRATORIO SINCITIAL, conocido como VRS (también ver TOS y CONGESTIÓN)

Raven, R.C., Peace & Calming - Diluir 1:1 y aplicar al área del pecho. Referir a la cataplasma casera de cebolla y ajo en la pagina 79.

"Cuando mi hijo Caleb tenia solo tres meses, bajo con lo que parecía ser un mal resfriado. El estaba muy congestionado y miserable y no podía dormir. Al día siguiente el pediatra lo examinó, y Caleb salió positivo al VRS. Desde que mi mamá y su esposo habían estado enfermos con una infección respiratoria mala que llegó a sus pechos, el doctor dijo que lo mismo le pasaría a Caleb. Además, VRS causa que en algunos bebés el nivel de oxigeno baje y tengan que ir a la sala de emergencias. Mi amiga, Sera, vino y trajo su mezcla de VRS de **Thieves, Oregano (orégano), Raven** y **R.C.**. Lo aplicamos a los pies de Caleb y difundimos Thieves todo el día. El estaba todavía un poco congestionado esa noche, pero al siguiente día estaba casi claro y al tercer día ¡toda señal de infección se había ido! Después de eso, estaba enganchada y he estado usando los aceites esenciales con mi familia desde entonces." ~ Wendy

VITAMINAS

PARA EL NIÑO:

KidScents MightyVites - Tomar según se indica.

NingXia Red - Tomar por lo menos una onza por día para una fuente de energía de nutrición, incluyendo vitaminas B, potasio, calcio y minerales. Los paquetes sencillos de una onza de NingXia Red pueden ser congelados y servidos como paletas.

PARA LA MAMÁ:

Core Supplements, Master Formula Hers™ y **True Source™** - Seleccione uno de estos y tomar diariamente como se indica.

VITAMINAS PRENATALES (ver VITAMINAS)

"En vez de tomar vitaminas prenatales sin receta, decidí con una gran confianza tomar **Master Formula Hers**." ~ Karen

"Mi régimen favorito de vitamina prenatal era **Core Supplements**, extra **Omega Blue**, y **NingXia Red**. Me sentí muy bien! ~ Sera

VOMITAR (ver también NAUSEAS)

La nutrición es imprescindible cuando se trata de vomitar, como la malnutrición y la deshidratación pueden causar problemas adicionales. Ver la Guía de Nutrición en la pagina 82. A pesar de que la razón aún no está completamente entendida, baja progesterona puede desempeñar un papel. Consultar un médico antes de aumentar la progesterona. Las siguientes sugerencias se han utilizado para disminuir y reducir la gravedad de vomitar y las nauseas.

Di-Gize - Frotar en el abdomen y colocar una gota en un dedo al interior de las mejillas.

Thieves - Ingerir dos a cuatro gotas en agua. Aplicar unas pocas gotas a los pies.

Sandalwood (sándalo) - Frotar una a dos gotas sobre el abdomen.

PD 80/20 - Utilizar como indica después de consultar a un médico.

Core Supplements, JuvaPower, MultiGreens, Balance Complete, Mineral Essence y **NingXia Red** - Utilizar como se indica para impulsar la nutrición.

GUÍA DE NUTRICIÓN

"El que sacia de bien tu boca de modo que te rejuvenezcas como el águila." Salmos 103:5

La nutrición debe tomar el centro de escena en la vida de una madre embarazada o lactando. Es crítico permanecer sana y darle al bebé en crecimiento toda la nutrición necesaria para que el o ella sea un niño sano. Haciendo los cambios necesarios a la dieta de la familia, ahora van a tener beneficios y formación de hábitos positivos a largo plazo. Aquí están algunas directrices a seguir durante el embarazo.

En general, optar por más comidas caseras con una abundancia de frutas y vegetales crudos, granos enteros, nueces, semillas, brotes y proteínas de calidad. Algunas madres, en especial cuando el embarazo progresa, van a encontrar que comiendo comidas más pequeñas a menudo es la mejor alternativa. Cuidado con comidas picantes, y grasosas que no son densos en nutrientes y pueden ser difíciles de digerir. Comidas picantes también pueden alterar el estómago del bebé lactando.

La mayoría de los profesionales de la salud estarán de acuerdo en que un multi-vitamínico diario esta en orden. Mi elección es True Source, o los completos Core Supplements de los Aceites Esenciales de Young Liviing (YL); estos son todo natural, suplementos nutricionales basado en los alimentos. Una gran adición a la dieta de mamá es una bebida verde para incluir vegetales extra para añadir a la nutrición. Mi sugerencia es JuvaPower, un polvo añadido al agua, jugo o mezclar con comidas, rociar sobre vegetales y en ensaladas.

Amamantando no es el momento de ponerse a dieta para bajar las libras extras adquiridas durante el embarazo; amamantando naturalmente ayuda al cuerpo perder esas libras. Madres que comen nutritivamente mientras están lactando son más propensas a normalizar su peso y tener bebés felices y saludables.

Vegetales

Consumiendo una gran cantidad de vegetales crudos y ligeramente cocidos al vapor da al cuerpo montones de nutrición. Seleccionar una gran variedad y hacer una ensalada buena cubierta con legumbres (habichuelas) o proteína magra parte del menú diario. Verduras de hoja verde oscuro son una buena fuente de calcio y hierro. Incluir la mezcla de encimas Essentialzyme o los masticables KidScents MightyZymes si los gases o inflarse son un problema.

Frutas

Cuando consumas frutas, crudas es mejor y en pequeñas cantidades. La azúcar natural en las frutas puede subir los niveles de azúcar en la sangre para algunos individuos. Una buena merienda por la tarde puede incluir una porción de frutas con nueces o mantequilla de nuez (Ver la receta a continuación bajo Nueces y Semillas). La fruta también es una buena opción de postre en lugar de bizcochos y galletas altos en azúcar.

Granos

Evitar los alimentos refinados y sobre-procesados, como la harina blanca, la azúcar blanca y comidas en caja llenas de ingredientes de baja calidad y desconocidos. Seleccionar panes de granos integrales y pastas por su mayor valor nutritivo y bajo índice glucémico. Granos comprenden la mayor categoría de carbohidratos; algunos carbohidratos pueden subir los niveles de azúcar en la sangre tanto o más que la azúcar. Elevados niveles de azúcar pueden conducir a diabetes gestacional. El doctor o comadrona examinaran esto y hacen las recomendaciones necesarias.

Nueces y Semillas

Las nueces y semillas están llenas de buena grasa que ambos mamá y bebé lo necesitan. Si digerir es difícil, útilizalos como mantequilla de nuez en una tostada o pan. Disponible en muchas variedades, las nueces también son una buena fuente de proteína y puede ser consumida cruda o cocinada/asada. Para hacer una realmente deliciosa mantequilla de nuez, poner dos tazas de nueces surtidas en un procesador de alimentos o licuadora potente y procesar hasta que este suave y cremoso. No sal o aceites adicionales son requeridos, y el sabor es exquisito. Actualmente, hay mucha controversia por comer nueces crudas y semillas. Aunque muchos creen que comiéndolas crudas es mas nutritivo, una madre embarazada debe consultar con su doctor o comadrona.

Proteína

Pavo, pollo, carne de res magra, pescado y huevos comprenden la proteína animal recomendada. Legumbres, nueces, granos y semillas provee la proteína no animal. Alforfón es el rey de las proteínas vegetales y es fácilmente añadido a productos horneados y también se encuentra en cereales.

Productos Lácteos

Suficiente calcio puede ser obtenido de verduras de hoja verde oscuro, pero muchas madres sienten la necesidad de consumir leche. La leche puede formar mucosas y estreñimiento, pero si mamá debe tener leche, la mejor opción es la leche cruda orgánica de una fuente de confianza. También hay mucha controversia sobre la leche cruda, y es ilegal comprarla en algunos estados.

Grasas

Aparte de los aceites prensados en frío, como el olivo, girasol y lino, evitar consumir las grasas hidrogenadas. Las comidas fritas no son beneficiosas para mamá o bebé mientras está embarazada o lactando.

Fibra

Generalmente es recomendado que la mujer coma de veinticinco a treinta gramos de fibra diario. La fibra puede ser encontrada en granos integrales, vegetales y frutas. Una porción de granos integrales en cada comida va ayudar a mamá a lograr obtener las cantidades recomendadas. Fibra es importante para el buen funcionamiento de los intestinos. Una porción del delicioso Balance Complete contiene once gramos de fibra y es un gran bocado entre comida o desayuno en movimiento.

Azúcares

Siempre evitar comidas ricas en azúcar blanca y refinada incluyendo los bizcochos, galletas, dulces, pastelería, algunos cereales y soda. La azúcar no tiene ningún valor nutricional, no hace nada por el cuerpo y puede ser potencialmente dañina. Las madres que anhelan los dulces pueden utilizar miel, stevia, y el Blue Agave de YL en moderación.

Agua

El consumo de agua saludable todos los días debe ser la mitad del peso en onzas. Para madres embarazadas, seis onzas más deben ser añadidas para evitar deshidratación.

• • • • •

Batido Verde

2 cucharadas de semillas de lino
2 cucharadas de semillas de chia
2 cucharadas de semillas de sésamo
1 taza de agua fría, limpia
½ taza de hielo
1 naranja mediana pelada
½ aguacate
1 taza de espinacas
1 taza o 2 o 3 hojas de col rizada
1 cucharón de polvo Pure Protein Complete (opcional)

En una licuadora, combinar las dos cucharadas de semillas de lino, semillas de sésame y semillas de chia y mezclar hasta que tenga la consistencia de harina. Apagar la licuadora y raspar los lados para aflojar la harina de semillas. Añada el resto de los ingredientes y mezclar hasta que este cremoso. Añadir más agua o jugo fresco según sea deseado.

PARA LA FAMILIA ENTERA

Para una guía comprensiva en este tema, "Growing Healthy Homes" ofrece un estudio de seis unidades por la coautora Debra Raybern titulado "Nutrition 101: Choose Life!" Este programa familiar amigable, basado en la Biblia, resume cada sistema del cuerpo y las comidas que obstaculizan o alimentan el desarrollo. Incluye graficas detalladas en vitaminas, minerales, proteínas, fibras, grasas, frutas y vegetales y recetas saludables en cada capítulo. También es usado como currículo para enseñar a los niños a amar la comida de Dios. Ordena un libro, libro electrónico o ambos en www.GrowingHealthyHomes.com.

KITS DE NACIMIENTO

Nota: Los aceites esenciales y productos asociados con problemas específicos mencionados en la Guía de Síntomas debe obtenerse en adición a las siguientes recomendaciones y suministros generales del parto.

KIT BÁSICO PARA EL NACIMIENTO

Essential 7 Kit - Incluye Lavender (lavanda), Lemon (limón), Pe-ppermint (hierba buena), Joy, PanAway, Peace & Calming y Purification. La guía "101 Uses for the Essential 7 Kit" puede descargarse gratis del "Article Library" en www.sharinggreathealth.org.

Valor - Balancea física y emocionalmente el cuerpo y ayuda a relajar el sistema nervioso central y combate los continuos dolores y molestias.

Gentle Baby - Ayuda a confortar, calmar y reducir el estrés durante el embarazo, previene las estrías y cicatrices y ayuda a crear lazos prenatales con su bebé y prepara el perineo para el parto.

Clary Sage (salvia sclarea) - Apoya el parto, balanceando las hor- monas y mucho más.

Fennel (hinojo) - Apoya la lactación, digestión y cólico.

ClaraDerm Spray - Prepara el perineo antes del nacimiento y ayuda a sanar después del nacimiento.

KIT AMPLIADO PARA EL NACIMIENTO

Este incluye el Kit Básico más:

Trauma Life - Combate cualquier trauma de la mamá o el bebé, físico y emocionalmente, y balancea el cerebro y sistema nervioso. Es el aceite más completo en el tratamiento de traumas y tejido de cicatrización.

Myrrh (mirra) - Suaviza el perineo durante el parto, analgésico, anestésico, cura el cordón umbilical y las estrías, apoya el sistema inmunológico, espiritualmente edificante, estimula los centros cerebrales superiores y sistema glandular, similar al Frankincense (incienso), y más.

KIT COMPLETO PARA EL NACIMIENTO

Esto incluye el Kit Ampliado más:

Frankincense (incienso) – Purifica, abre las funciones del cerebro, apoya la glándula pineal y pituitaria. Es uno de los aceites más santos para ungir al recién nacido. Ayuda en cualquier tipo de cica- trizes, realza las funciones inmunológicas y más.

Rose (rosa) – Debido a su alta frecuencia este es uno de los mejores aceites que afectan las emociones y el cuerpo físico. Puede ayudar a sanar traumas, a estabilizar los estados de ánimo, especialmente durante el postparto, relajante, sana cicatrices y profundiza los lazos afectivos con el bebé.

El baúl de la salud de la "Doctora" Mamá

"Pero Jesús dijo: Dejad a los niños venir a mí, y no se los impidáis; porque de los tales es el reino de los cielos." Mateo 19:14

Estos son los aceites esenciales más comúnmente mencionados en este libro. Este preparada con estos aceites en casa y fuera.

Aceites esenciales y mezclas incluidos en el Kit "Start Living with Everyday Oils" de Young Living incluye:
Lavender (lavanda) – Para cortes y raspaduras, quemaduras, calmar, conductos lagrimales obstruidos, costra láctea y alergias.
Peppermint (hierba buena) – Para nausea, dolores de estomago, estreñimiento, fiebre, dolores de cabeza y otras molestias y dolores.
Lemon (limón) – Para tos, sistema inmunológico y equilibrio pH.
Frankincense (incienso) – Para resfriados, gripe, pulmonía, infecciones bacterianas y virales y el muñón del cordón umbilical.
Thieves – Para infecciones bacterianas y virales, anti-hongos y anti-moho.
PanAway™ – Para los dolores de músculos y coyunturas, dolores de cabeza y artritis.
Peace & Calming™ – Para relajación y dormir mejor.
Valor™ – Para dolores de espalda; anti-viral y anti-bacteriano.
Purification™ – Para picadas de insectos, cortes y arañazos, tos y bronquitis; anti-viral.

Mezclas adicionales de los Aceites Esenciales Young Living:
Melrose™ – Para dolores de oído; anti-viral, anti-bacteriano y anti-hongo.
R.C.™ – Para infecciones del tracto respiratorio superior, bronquitis, asma y congestión.
Raven™ – Para infecciones del tracto respiratorio superior y congestión.
Di-Gize™ – Para dolores de estómago, virus estomacales, exceso de mucosidad y estreñimiento.

TESTIMONIOS

"Como saetas en mano del valiente, así son los hijos habidos en la juventud." Salmos 127:4

Katherine Grimes C.N.M., R.N., M.S.N.
Estuve leyendo un testimonio de alguien que había usado el aceite Peppermint (hierba buena) en su abdomen para girar a su bebé de de nalgas a de cabeza. Lo use en dos pacientes, trabajo en uno y el otro no se pudo girar. Pero, el que no pudo girarse fue al hospital para tener una versión – donde podrían ellos girar manualmente al bebé en la posición de cabeza – eso tampoco trabajó. Continuaré usando el aceite Peppermint (hierba buena) como el primer recurso para girar los bebés de nalgas.

Otra mamá, Sera, usó aceites esenciales durante todo su embarazo y parió un bebé de nueve libras, quince onzas unos días antes de la fecha estimada. Ella estuvo dos horas de parto. La placenta aparentaba estar muy saludable sin visibles calcificaciones que son comunes con placentas en término o después de término.

Karen Douglas, madre de cuatro
Todos mi embarazos fueron buenos, pero el primero, con el uso diario de los aceites esenciales fue por mucho el mejor...

Antes de quedar embarazada la nutrición vino a ser una parte importante de mi vida. Yo tomaba mucha agua pura, comía una variedad de frutas y vegetales frescos, y usaba los suplementos y Aceites Esenciales Young Living. A los cuarenta años tuve mi cuarto bebé. En vez de usar las vitaminas prenatales sin receta, decidí con mucha confianza usar las vitaminas Master Hers de YL, las cuales contienen una infusión de aceites esenciales. Durante este embarazo utilize Valor por todo mi abdomen noche y día, Lavender (lavanda) en mis pies, y Brain Power en mi cabeza. Además, nunca salí de mi casa sin aplicarme Peace & Calming en las muñecas, el borde de mis orejas y en la planta de mis pies para tener un día de paz total. Orando, mi familia y yo usamos cualquiera de los aceites que sintiéra podría ayudarme en ese momento y que encontramos especialmente confortable, relajante y revitalizante.

Según mi abdomen comenzó a crecer, me aplicaba un ungüento casero noche y día para prevenir sentir resequedad y picor. El ungüento, hecho con los aceites esenciales YL, comenzo a remover viejas marcas por elasticidad y prevenir que salieran más. Yo tenía la barriga mas linda nunca antes vista. Yo pude haber estado en una revista sin retoque alguno. Alabo a Dios que anduve en buena salud durante todo mi embarazo.

El domingo en la tarde, comencé a tener contracciones leves. Chris, mi esposo, comenzó a pasarme Valor, Lavender (lavanda), Brain Power y Peace & Calming. El repitió este proceso antes de acostarme. Me desperté a la 1:30 a.m. del lunes con fuertes contracciones. Brittany, nuestra hija mayor, quien tenia doce años en aquel tiempo, se arrodillo a mi lado y con sus preciosas manos en las mías comenzó a orar por mi. Luego ella susurro suavemente en mi oído que era hora de despertar a papi. A las 2:45 a.m. con mis aceites en mano, salimos hacia el hospital. Tenía cuatro centímetros de dilatación cuando llegué a las 3:00 a.m. Desde el tiempo de mi llegada hasta que me llevaron a la sala de partos, pasaron cuarenta y cinco minutos! Era tiempo de pujar! No había tiempo de volver a pasarme los aceites; los que me había pasado anteriormente antes de dormir tenían que ser suficiente.

Habiendo usado los aceites YL me sentí bien relajada que solamente me tomó tres veloces pujo y nuestra hija, Faith Moriah Douglas, nació a las 4:10 a.m., solo una hora y diez minutos después de mi llegada al hospital. Momentos después de su nacimiento, Chris la puso sobre mi pecho, y la ungimos en el nombre del Señor Jesucristo con los siguientes aceites diluidos en

partes iguales con el aceite portador V-6:
• Brain Power, que incluye el aceite Frankincense (incienso), que estimula el sistema límbico del cerebro y ayuda a superar tensiones, pusimos en la cabeza de Faith.
• Valor, que también incluye el aceite de Frankincense (incienso), fue colocado en su columna vertebral.
• Joy, que incluye aceite Rose (rosa), el cual contiene la frecuencia más alta entre los aceites esenciales, fue colocado en su corazón.
• Peace & Calming, contiene aceites de Orange (naranja) y Ylang Ylang y aumenta la relajación, fue colocado en sus pies.
• Lavender (lavanda), con gran poder relajante, fue utilizado en un masaje en todo su cuerpo.

El aroma de difundir los aceites fue tan agradable que algunas enfermeras querían saber que era aquel hermoso olor. Después del nacimiento, el doctor llegó aproximadamente a las 4:15 a.m. h la enfermera a cargo/partera reportaron que yo había tenido un parto perfecto sin desgarres, sin sueros, ni medicinas. Le pregunté al doctor cuando podría irme a casa y me dijo, "¿Como alrededor de las 4:30?" De todas maneras, me quedé veinticuatro horas solo porque Faith tenía que permanecer allí. Mi precioso esposo me llamo "la supermujer" porque me levante de la cama y sala de parto y caminé a mi cuarto privado al otro lado del hospital. Así de relajada estaba, y me sentí bien revitalizada. Las enfermeras se quedaron atónitas y admiradas. Los aceites realmente ¡me mantuvieron relajada y enfocada!

Yo continúe usando los aceites de YL en mí y en Faith y nunca sufrí un episodio de depresión posparto. Yo llamé esto "mi perfecto nacimiento en el hogar en un hospital." Hasta este día, a Faith todavía le encanta que la froten con estos aceites esenciales estelares de YL. ¡A Dios sea toda la Gloria! Abundantes bendiciones de Dios para ti y tú precioso bebé.

Beverly Boytim, madre de cuatro

Tenía mucho miedo de pujar, hasta el punto que la partera me dijo que había aguantado el nacimiento de mi tercer bebé cerca de dos horas solo porque tenía miedo de pujar. Yo no quería que esto me pasara con mi cuarto, le pregunté a mi naturopata que aceites ella creía era buenos. Yo use Surrender y Release durante los últimos tres meses, y los apliqué en mi muñeca diariamente y los olía. Yo no tenía tiempo de difundirlos durante mi parto, sin embargo, solo duré tres horas y aproximadamente cinco minutos de pujar.

Mi hijo de dos años, tocó el silenciador de un generador caliente. Estábamos cerca de la casa y mi esposo puso su mano bajo agua fría mientras corrí a la casa por el Lavender (lavanda). Cuando regrese, mi hijo estaba histérico. Le aplique el Lavender (lavanda) en su mano, y se calmó considerablemente. Luego lo llevamos a la casa y continuamos con el agua fría y el Lavender (lavanda). Cuando la sensación de la quemadura finalmente disminuyó, le di una rociada de Lavaderm en su mano y le apliqué una pasta casera para quemaduras; envolví la mano en un vendaje "ace." Todos los días dejaba que la quemadura cogiera aire y lo rociaba y le aplicaba la pasta. Tres días después la quemadura estaba curada y como diez días después no había ni muestra de ella.

Sera Johnson, madre de cuatro

He sido bendecida de haber tenido mi bebé aceite sorpresa, Ethan! Este fue mi cuarto embarazo y fue por mucho el mejor de todos. Después de tener nauseas el primer trimestre, – Peppermint (hierba buena) se convirtió en mi mejor amigo – en conjunto me sentí mejor que nunca. Por el NingXia Red, Core Supplements, aceites esenciales y una dieta saludable, mi nivel de energía se mantuvo alto, no me hinche, y lo que gane en peso fue mucho menos que los embarazos anteriores. La mayor diferencia fue sentirme en general fantásticamente. Todos mis partos y nacimientos fueron cortos, pero este fue el más corto y fácil – menos de dos horas y solo pujar unas cuantas veces. La cosa más interesante fue que la partera comentó que mi placenta fue una de las mas saludables que ella había visto jamás. Además, la enfermera asistente notó que yo tenía una leche muy rica.

Ethan nació con una condición llamada Tortícolis donde los músculos en el lado izquierdo de su cuello eran muy cortos y apretados debido a que el era muy grande y estaba atorado en cierta posición en el útero. Su cabeza estaba inclinada hacia la izquierda, y tenia el ojo izquierdo un poco caído. Nosotros no pensamos mucho sobre eso hasta que el tenia cuatro meses de nacido y el todavía no mantenía su cabeza completamente derecha. Una partera sabía exactamente lo que era y recomendó que lo llevara a un quiropráctico de salud pedriatico. Yo nunca había oído de esto antes, así que investigue y encontré que si no se corregía, podría causar daño físico y retraso en el desarrollo. Con tratamiento, aprendí que podría tomar de seis meses a un año para corregirse. Así que comenzamos a usar los aceites esenciales, particularmente Valor, Peppermint (hierba buena) y PanAway en conjunto con el quiropráctico y en dos meses, su cabeza estaba totalmente derecha y los músculos estaban perfectamente! Gracias a Dios!

Ahora realmente me siento como una mejor mamá. En cualquier momento que alguien me pregunta si los aceites esenciales están bien para recién nacidos e infantes, yo les digo, "absolutamente!" A Dios sea la Gloria! Hemos sido bendecidos!

Wendy Stanziano, madre de dos
Los Aceites Esenciales Young Living y sus productos han hecho una gran diferencia en nuestras vidas y en la clase de madre que me estoy convirtiendo. Desafortunadamente, yo no

sabía mucho sobre los aceites hasta después que tuve mi primer hijo, pero desde que Caleb llegó a casa hemos estado usando Lavender (lavanda) para que pueda dormir. Después de lograr aliviar Caleb's de "RSV" a los tres meses de edad, los aceites han sido una herramienta asombrosa para todas la leves dolencias que los bebés tienen que no pueden ser tratadas con la medicina sin receta. Hasta hoy, yo uso Thieves y R.C. para toda nuestra familia a la menor señal de un catarro y Lavender (lavanda) para cualquier quemaduras o irritación de la piel. Mi esposo usa Thyromin para la tiroides hiperactiva y tiene los niveles hormonales normales. Yo estoy actualmente usando Thyromin y Endoflex para mi tiroides hiperactiva como alternativa a los tratamientos mucho más drásticos.

En adición a los aceites, yo creo que el NingXia Red ha sido una parte integral de nuestra salud y bienestar construyendo el sistema inmunológico de toda mi familia.

Pocos días antes de salir de la cuidad para ver a la familia, me percate que mi hijo tenia unas ampollas en sus pies. Debido a que Caleb había dormido terriblemente la noche anterior, inmediatamente sospeche de la enfermedad de manos, pies y boca. Examine sus manos y boca por ampollas, pero no encontré ninguna. El no tenía fiebre o ningún otro síntoma. Yo se lo achaque a la dentición.

Para el mediodía, el ya tenia ampollas en sus manos. Todavía no podía ver ninguna en su boca, pero yo sabia que tenia que ser un virus especialmente cuando el no pudo comer comida sólida esa noche. Conociendo que habíamos estado visitando a sus primitos hacia solo unos días, comencé a aplicar Thieves en sus pies y columna vertebral. Alterne con Mountain Savory (ajedrea) y Purification.

Más o menos en una hora después de aplicar el Purification, estaba enseñándole las ampollas a mi mamá, y solamente pude ver dos! Seguí aplicando el Purification cada vez que le cambiaba el pañal durante el lunes y continúe mientras viajamos el martes. Para el miércoles, las ampollas habían desaparecido de sus manos y solamente le quedaban marcas rojas en sus pies! Los primos nunca se enfermaron, y Caleb tuvo un gran tiempo. El nunca pareció tener fiebre, pero el Purification realmente parece haber acortado la duración del virus!

Caleb, ahora de tres años de edad, toma vitaminas para niños Young Living diariamente, KidScents MightyVites, junto con NingXia Red. El raramente va al doctor y evitamos usar cualquier tipo de antibiótico hasta este pasado invierno. Nosotros también usamos los productos para el baño KidScents en el y en nuestra más reciente adición, Ava Rose. De hecho, con solo unas semanas de nacida, Ava tenía síntomas de catarro y congestión, el cual respondió bien con un poco de R.C. y Thieves en el difusor. Es una gran satisfacción, saber que yo tengo el poder de usar el método de curación natural de Dios en mis hijos! Así que muchos catarros, tos, dolores de barriga y fiebre han sido aliviado con varios aceites de YL en los pasados tres años.

Laura Hopkins, madre por primera vez

Los aceites de grado terapéutico Young Living son increíbles porque los puedo usar en mi hija, mi esposo, en mi e incluso en nuestro perro, sin ningún efecto secundario. Según comencé a conocerlos, yo realice que Dios decididamente diseño la naturaleza para proveer estos agentes de sanidad para nosotros, sus hijos. Cuan amados y bendecidos somos! A diferencia de la medicina del hombre, Dios creo estos aceites para corregir la raíz del problema – infección, hongos, parásitos – así como los síntomas – fiebre, nariz mocosa y estreñimiento.

Mi primera experiencia fue cuando Audrey, de cuatro meses de nacida, desarrollo fiebre; yo use Peppermint (hierba buena) diluido 50-50 con el aceite portador V-6 en su ombligo. Casi de inmediato, le ayudo a moverle el intestino y redujo la fiebre, así que continúe el régimen cada tres horas. También le puse Valor en la columna vertebral y ella volvió a la normalidad tarde ese día.

Antes de comer, Audrey toma ambas sus MightyZymes y sus MightyVites tres veces al día. También comienza el día con por lo menos con una onza de NingXia Red y le encanta ponerse Orange (naranja), Purification y Peace & Calming. Entre estos productos, los aceites y las escrituras que confesamos de buena salud, ella jamás ha estado en la oficina de un doctor por algo que no sea una cita de rutina de bebé saludable. Hemos sido testigos de cientos de testimonios en los últimos años con familia y amigos de todas las edades. Dios es bueno todo el tiempo!

Jeanette Watje, madre de ocho

Me encanta oír a mi niña de dos años decirme, "Mami aceites, aceites" y se acuesta con lo pies en el aire! También es muy gracioso ver a mis adolescentes arrastrarse por las escaleras para no perder los aceites en los calcetines y poder irse a dormir con los aceites en sus pies. Ninguno de mis ocho hijos ha estado seriamente enfermo en más de dos años! Vamos a muchos sitios y no tenemos miedo de enfermarnos, pero si nos enfermamos, en solo días estamos bien en lugar de semanas como otros que tienen la misma enfermedad. Estamos alabando a Dios porque nos sentimos bien y hemos encontrando no solo un arreglo rápido, sino de mantenimiento preventivo. En lugar de testimonios, yo llamo a esto victorias!

Cuando alguien está enfermo, es un ritual para todos mis hijos, en la noche, de hacer una fila con sus medías y acostarse para que le ponga aceites en sus pies, espaldas y a veces en el pecho, dependiendo de su enfermedad. Es una bendición de ver a mis hijos, quienes pescan una enfermedad más rápido que yo, ir a los aceites en primer lugar para resolver los problemas de salud que ocurren. Es sorprendente ver a Dios proveer la sanidad de muchas cosas con los aceites.

Kim Spendlove, madre de cinco
Mi cuarto hijo vino al mundo por cesárea, dejándome con una "T" invertida como cicatriz de la cesárea; la cirugía me dejó severamente anémica y mi recuperación fue muy difícil. Yo no sabía de los aceites esenciales de YL en el momento. Después de oír la noticia de que nunca podría tener otro parto natural, mi esposo se hizo una vasectomía. Inmediatamente nos arrepentimos, y un año después el Señor hizo posible una reversión. Concebimos nuestro quinto hijo poco después de la reversión y una vez más nos enfrentamos al problema de nuestras opciones de parto. Desesperada por evitar otra cesaría, queríamos hacer todo lo posible por curar la herida. Al año y medio después, decidimos tratar Cistus y Lavender (lavanda) aplicándolo sobre el área de la herida todas la noches a ver que pasaría.

Parí a mi bebé, una preciosa niña, en May 2008. Tuvimos un perfecto parto natural "VBAC" sin complicaciones. De hecho, fue el más fácil hasta ahora. Aun cuando no había manera de ver mi cicatriz interna, la desaparición de mi herida externa era substancial, y el dolor y la sensitividad que tenía están completamente resuelto. Si bien se, los aceites no fueron el único factor, estoy confiada en que han desempeñado un papel clave en ayudar a regenerar mi abdomen y a fortalecer haciendo posible nuestra "VBAC."

Estuve de parto por veintisiete horas, y al mismo tiempo que me fue muy bien, estuve extremadamente cansada. En muchas ocasiones cuando mi energía se desvanecía frotábamos Valor en el interior de mis tobillos. En cuestión de minutos me sentí renovada, gozosa y todas las dudas que estaban tratando de infiltrarse desaparecieron. Acercándonos ya a la transición, mi esposo aplicó Peppermint (hierba buena) en mi columna vertebral. En la transición tuve un total de las tres contracciones. La última me llevó de nueve centímetros a diez, rompió fuente y envío a nuestra pequeña niña en su camino al mundo. En unos minutos y dos pujos la niña había nacido. Fue el parto más fácil y rápido que he tenido.

Cuando lactaba a mi recién nacida y no le gustaba algo que hubiera comido, le aplico Peace & Calming en su panza. En aproximadamente diez minutos ella se relaja y deja de escupir completamente. Usualmente no vuelve en toda la noche.

Jamie Hyatt, R.N., F.C.C.I., B.C.R.S., L.S.H.

En el momento que mi hija, Emily, descubrió que estaba embarazada comenzó la búsqueda en cuanto a como usar los Aceites Esenciales Young Living durante su embarazo, parto y nacimiento y después del parto. Por otra parte, ella y yo tuvimos un gran interés en como usar los aceites esenciales en un bebé recién nacido. En un corto periodo de tiempo, el libro Bebés Tiernos apareció en la pantalla de mi computadora como si yo hubiese puesto una orden. Yo compré cuatro copias, una para Emily, su suegra, una adicional que regalé a una amiga y una para mí.

Emily rompió fuente a las 9:15 p.m. Cuatro horas más tarde, se inicio un suero intravenoso de Pitosina para facilitarle las contracciones del útero. Para las 5:00 a.m. del próximo día, solo había tenido unas cuantas contracciones. Con el permiso del médico a cargo se le aplicó en la barriga y en la parte interior de los tobillos Jasmine (jazmín) y Clary Sage (salvia sclarea) para estimular las contracciones. Esto se repitió por segunda vez treinta minutos más tarde.

Una vez comenzó el parto, una mezcla de Helichrysum (helicrisum), Fennel (hinojo), Peppermint (hierba buena), Ylang Ylang y Clary Sage (salvia sclarea) mezclado con el aceite portador V-6 se aplicó en la barriga, espalda baja, y en el interior de los tobillos. Se le aplicó Peace & Calming en los pies y alrededor del borde de las orejas. Se le administro acupuntura. Dentro de un corto periodo de tiempo Emily estaba ya de parto. Porque la cerviz no dilataba, la bebé nació por cesárea.

Una niña saludable había nacido. Unos minutos después de su nacimiento y en los brazos de su padre, yo tuve el privilegio de ungir a mi primera nieta, Isabelle, con una gota de Trauma Life en la corona de su cabeza y Valor en sus pies. También se le aplicó Joy en su corazón. Inmediatamente después de la cesaría de Emily, una gota de Rose (rosa), Helichrysum (helicrisum), Idaho Balsam Fir (abeto balsámico de Idaho) y Believe fueron aplicados en y alrededor de la incisión. Por varios días después de la cirugía, se le aplicó PanAway para eliminar el dolor. Ella aplicó Lavender (lavanda) sobre la herida diariamente para ayudar a sanar y prevenir cicatrices.

Emily y su esposo, Brad, continuaron usando varios aceites esenciales en Isabelle diariamente. Peace & Calming es su aceite favorito. A los veintiún meses de nacida, Isabelle ha estado completamente bien, sin reportar ninguna enfermedad. Aceitar a Isabelle es parte de su régimen diario. De hecho, ella tiene su propio bolso de aceites que contiene dieciseis de sus aceites esenciales de YL favoritos. Aunque las botellas están vacías, ella pasa horas quitándole las tapas y oliendo la esencia de la fragancia – la perfecta respuesta a una niña que quiere tener sus aceites a la mano en todo tiempo.

Isabelle se convertirá en hermana mayor este año. Emily continúa usando los aceites de YL todos los días y planea incorporarlos otra vez en el proceso del parto y nacimiento.

Becky Madding, R.N. BSN., madre de cuatro

Soy una mujer de raza blanca cuyo peso ha sido siempre dentro de los límites aceptables para mi estatura. Como bastante saludable (nunca como comidas fritas, raramente como comidas rápidas, uso lo mínimo en dulces), soy activa (para mantenerme al día con tres niños pequeños y caminar tres cuarto de milla todos los días en la noche). Nadie en mi familia ha tenido diabetes tipo 1, nadie ha tenido diabetes gestacional, pero tengo dos tías que recientemente han sido diagnosticadas con diabetes tipo 2 y ambas están en medicamentos. En mis embarazos nunca gane más de veinte libras y típicamente fue menos de 15 libras. Básicamente, yo tenía cero en factores de riesgo para convertirme en una diabética gestacional.

Cuando no pasé mi primera prueba de tolerancia de glucosa con mi primer hijo, mi doctor se quedó totalmente sorprendido. Mis números eran altos, pero no tan malo como para considerar el uso de medicamentos o insulina. Yo controlaba mi dieta con facilidad, y mi glucosa oscilaba generalmente entre 80 a los 120. Ocasionalmente estaba alta, pero mi glucosa nunca paso por encima de los 130.

Me las arreglé para no tener diabetes gestacional con mi segundo y tercer hijo. Sin embargo, con mi cuarto no pasé la prueba de tolerancia terriblemente. En ese momento el único factor de riesgo además de mi diagnóstico previo, era mi edad; yo tenía treinta y cinco años de edad con mi cuarto contra treinta con mi primero. Me fue tan mal que mi doctor quería ponerme en insulina inmediatamente. Los educadores de diabetes recomendaron una prueba de dos semanas de dieta controlada antes del uso de medicamentos. Al principio, cuando comencé la dieta, me resultaba imposible mantener mis números bajos. Esta vez los altos estaban en los 180, y estaba fuera de control por lo menos una vez al día, pero más a menudo dos veces al día. Estaba tan frustrada que pase hambre para poder mantener los niveles de azúcar bajos, lo mejor que pudiera. Sentí mucho miedo al tener que usar insulina.

Luego conseguí mi NingXia Red. Comencé a tomar de una onza tres veces al día, después de cada comida. En un plazo de tres a cuatro días note una gran diferencia. Mis niveles de azúcar estaban normales (menos de 120) casi todo el tiempo. Normalmente me subía una o dos veces a la semana después que comencé con el NingXia Red, pero cuando estaba alta era solo en los 130 no los 180. Después de una semana noté que podía comer porciones más grandes y todavía podía mantener los niveles de azúcar dentro de lo normal. Esto es increíble, cuando estas embarazada y con hambre casi todo el tiempo! No lo hubiera podido hacer sin el NingXia Red. Siendo diabética durante el embarazo conlleva una gran cantidad de riesgos para ambos madre e hijo, pero si puede ser una dieta controlada y controlarla bien, los riesgos disminuyen considerablemente. Tuve una niña saludable de ocho libras, término completo y cero complicaciones. Gloria a Dios!

Christa Smith, madre de once

Como mujer joven, estaba muy enfocada en tener una carrera. El campo de la medicina fue una elección para mí porque mi padre es un anestesiólogo y mi madre enfermera graduada. Después de obtener mi grado en Fisiología, Dios me dirigió a la escuela de enfermería, y mi meta era llegar a ser doctora. Trabajé por un año y medio en el piso OB en un hospital universitario y con doctores diariamente por casi tres años. A pesar de que quería tener hijos, anticipaba que iba a tener dos y una niñera para poder enfocarme en mi carrera.

Cuando nos dimos cuenta de que íbamos a tener nuestro primer hijo, el Señor cambio mi corazón y elegí a mi familia por mi carrera. Tuvimos tres hermosas hijas y pensé que ya habíamos terminado. Sin embargo, volví a concebir y estaba agobiada por la idea de tener otro hijo. Más aún, a las seis semanas de nacida, mi cuarta hija fue diagnosticada con la influenza y "RSV," ambas fatal para bebés tan

pequeños. Durante su intensa enfermedad y recuperación, el Señor me dio nuevo aprecio por la vida. Me arrepentí de mi actitud y sometí todo, incluyendo mis órganos reproductivos a Él.
Los primeros nueve partos fueron inducidos debido a preclampsia o hipertensión inducida por el embarazo. Los doctores utilizaron medicamentos para controlar mi alta presión arterial, pero por lo general dejaba de trabajar a las treinta y dos semanas. Yo trate diferentes medicamentos, pero tenia que ser inducida porque mi cuerpo estaba tan tóxico – ketones altos en mi orina y alta presión tan alta como 190/160. Pasé la mayor parte de mis embarazos de reposo en cama y fui hospitalizada a las treinta y una semanas y tomando sulfato de magnesio para mantener mis músculos de contraerse y evitar un parto prematuro. Lo pase horrible con migrañas, el solo estar sentada hacia que mi presión arterial me subiera. Normalmente estaba en medicamentos dos meses antes y dos meses después del parto.

Estaba desesperada. Intenté hacer jugos (juicing), suplementos nutricionales y cualquier cosa que alguien me dijera. Me hinchaba y no podía dormir. No había nada que pudiera aliviar mi condición excepto tener a mi bebé. Durante mi noveno y décimo embarazo, use "JuicePlus." No tuve que usar medicamentos hasta después del parto, así que sabía que la nutrición me estaba ayudando. Me tuvieron que inducir el parto por ambos y seguí sufriendo con problemas de sinu-sitis, dolor en el nervio ciática y tirones en los ligamentos, los cuales causaron mucho dolor en la parte superior de la pierna y cadera.

Muchas personas bien intencionadas se preocupaban por mí y me insistían en que dejara de tener hijos. Sin embargo, yo me había sometido al Señor. Temprano en mi embarazo numero once, fui a una clase de aceites esenciales que enseño Karen Hopkins, una amiga de Debra Raybern. Yo estaba interesada en saber lo que los aceites podían hacer por mi hija de dos años que estaba luchando con alergias que le causaban severos problemas respiratorios. Era tan grave que mi hija estaba en cuatro patas tosiendo y tratando de buscar el aire para poder respirar. Hice un implante/enema

rectal con los aceites recomendados para la bronquitis. La observe levantarse y jugar en diez segundos. A Dios sea la gloria!
Como investigadora, quería saber cómo y por qué los aceites trabajaban de forma tan rápida y efectivamente. Leí el libro del Dr. David Stewart "The Chemistry of Essential Oils Made Simple: God's Love Manifest in Molecules." El Dr. Stewart explicó que los aceites no podían ser tóxicos y que eran seguros y Bíblicos. Un par de meses más tarde asistí a la Técnica Intensiva de Gota de Lluvia, dando y recibiendo la técnica Gota de Lluvia estando embarazada. En la clase se enseño la química de los aceites, y sabia que los aceites eran sanos, no tóxicos y que fueron enviados por nuestro Creador. Sorpresivamente, encontré alivio de la ciática y descubrí también que Lemongrass (limoncillo) funciona a la perfección cuando se aplica a los ligamentos.

Yo todavía estaba aprendiendo de los aceites y realmente no había tratado los productos nutricionales de YL. Alrededor de las treinta y ocho semanas de mi embarazo numero once, mi comadrona encontró nuevamente altos niveles de ketones en mi orina y también que era hipoglicémica. Frente a una posible inducción o cesárea, llamé a Karen. Ella me ayudó con el protocolo de ingerir los aceites Coriander, Dill (eneldo), Peppermint (hierba buena), Lavender (lavanda) y Fennel (hinojo) y con un plan de nutrición de Power Meal, JuvaPower, Carbozyme, Life 5 Probiotic, Omega Blue y Pure Protein Complete.

Me sorprendí con el resultado una semana después. No solo los aceites ayudaron, pero ya no tenia ketones en mi orina, no estaba tóxica. Realice que todo desde la alta presión arterial hasta mi sinusitis se debía a hongos – llamado sobrecrecimiento de cándida. Cuando volví a ver a Karen unas cuantas semanas más tarde, ella me dijo "Pareces una persona diferente!" No solo fueron los aceites deshaciéndose del problema, pero revirtió el deterioro de mi cuerpo. A los treinta y ocho años de edad y en la semana treinta y nueve de mi hijo numero once, finalmente tenia un embarazo normal!

Mi parto numero once fue un increíble, natural parto vaginal. Usé los aceites recomendados en Bebés Tiernos durante el transcurso del parto y ungimos a nuestro hijo con Frankincense (incienso) tan pronto nació. También puse Myrrh (mirra) en su cordón umbilical, y se le cayó en veinticuatro horas. Evidentemente dejamos un efecto sobre el personal del hospital porque cuando dejábamos el hospital el conserje nos pregunto si había algo para su sinusitis.

Nuestra casa no ha sido la misma desde que comenzamos a usar los aceites de Dios. Pongo a difundir Cedarwood (madera de cedro) para congestión y problemas con la sinusitis. A veces no puedo creer lo rápido que trabajan. Hemos logrado librarnos de verrugas con Frankincense (incienso), aliviar la congestión el Thieves, Peppermint (hierba buena) y Cedarwood (madera de cedro), curar ulceras con Lavender (lavanda) y Balsam Fir. Cuando uno tienes once hijos, puedes realmente poner a prueba los aceites. Se que Young Living tiene los mejores productos porque no hay nada en tu casa que ellos no puedan hacer.

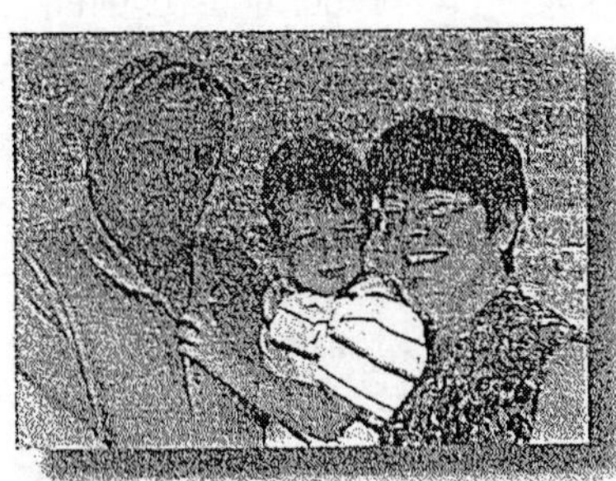

Evon McDonald, madre de tres y abuela de ocho

Nuestro nieto Noah nos fue entregado por la corte a los tres meses. Entre los dos a tres años de edad, fue muy difícil ver a nuestro nuevo hijo comenzar a presentar signos de autismo. Nuestra primera pista fue lo que pensábamos era la falta de vinculo con nosotros. El no quería que lo tuviéramos en brazos, quería estar solo y no miraba a la gente cuando trataban de hablarle. Llegando a los tres años, se volvió obsesivo. De la única manera que podíamos llamar su atención era tocándolo. Parecía vivir en su propio mundo. Visitaba a su doctor muy, muy a menudo por dolor de garganta, congestión, nariz mocosa y dolores de oído y estaba en antibióticos cada par de semanas. El doctor vio las posibilidades de autismo en su comportamiento y lo refirió a un especialista, quien confirmo nuestro temor después de evaluarlo.

Una amiga me sugirió que investigara de los aceites esenciales en vez de los antibióticos que él tomaba. Después de investigar realizamos que los productos Young Living eran los mejores disponibles. Comenzamos poniendo dos gotas de Thieves en sus pies todas las noches; usamos R.C. en su pecho para la congestión y Peppermint (hierba buena) en su ombligo para la temperatura. Pusimos Frankincense (incienso) por encima de sus cejas y Brain Power en la sien todas las mañanas antes de ir a la escuela. Entre las edades de cuatro a cinco, solamente visito a su doctor pocas veces. Si no podía averiguar lo que estaba mal lo llevaba para un diagnóstico y después lo trataba con los aceites esenciales.

Noah es muy inteligente. El se memoriza cualquier cosa que oye y puede repetir extensos diálogos de películas. A los cuatro años, el podía contar hasta ciento cincuenta por 2 en 2, 5 en 5 y 10 en 10, conocía sus sonidos fónicos y podía deletrear más de cuarenta palabras incluyendo todos los colores. Sin embargo, el no podía aguantar un lápiz para aprender a escribir. Él podía hablar con sí mismo por horas mientras jugaba, pero su vocabulario era memorizado de los diálogos de las películas. El no podía decirnos si tenía hambre o sed y no estaba entrenado para ir solo al baño a los cinco años. El no reaccionaba al dolor y tampoco podía decirnos donde le dolía, se molestaba fácilmente.

En enero del 2009, yo ley acerca de niños con cerebros hambrientos y aprendí como el gluten se une a los receptores de los intestinos y priva el cerebro de absorber los nutrientes. Después de investigar e ir a la convención de YL, realice que YL había desarrollado un producto llamado MightyZymes que suministra al cuerpo del niño con las enzimas para la descomposición de muchas cosas, incluyendo el gluten. Comencé a darle a Noah las enzimas MightyZymes, pero fue una propuesta al azar. Pudimos ver mejoría. Él comenzó a ser mas amoroso, permitía que lo cogiéramos en brazos y comenzó a cogernos de la mano y llevarnos algún sitio para obtener algo para él. En abril del 2009, dejó de usar los pañales durante el día. Tuvo muy pocos accidentes, inclusive en la escuela y comenzó a preguntarles los nombres a las personas.

En mayo del 2009, yo me comprometí a darle tres MightyZymes cada día, todos los días. A finales de junio, salio de su cascarón. Su primera frase solo me impacto: "Mami, cocíname algo de comer." Yo supe que esto no era de una película. El comenzó a hablarnos en un método conversacional y quería que estuviéramos con él, para jugar, ver películas y leer con él. Durante la primera parte de julio dejamos de ponerle el pañal por las noches. En enero del 2010, tuvimos varias emergencias familiares que interrumpieron nuestra rutina diaria de aplicar los aceites y darle a Noah las MightyZymes. Comenzamos a notar regresión en diferentes áreas y también las maestras. Esto reforzó mi conocimiento de que a través de las MightyZymes de YL y los aceites esenciales, nuestro Padre Celestial ha libertado a nuestro hijo de muchas de las luchas diarias del autismo. Me volví a comprometer con nuestros hábitos anteriores de utilizar los productos YL y estoy tan feliz que todos somos Sus hijos! (Mateo 6:33)

SOBRE LA AUTORA

Debra Raybern comparte su pasión por la salud y el bienestar en la curación y poder restaurador de la medicina de Dios; hierbas naturales, aceites esenciales, relaciones correctas y nutrición a través de seminarios, conferencias, libros, artículos de revistas y consultas personales. Su vasto conocimiento, experiencia y la unción de Dios le han permitido el privilegio de ayudar un sinnúmero de personas con problemas menores y de alto riesgo de vida educándolos en las prácticas saludables de salud, estilo de vida, hierbas y aceites esenciales para limpiar y promover el cuerpo que se cure así mismo.

Debra esta certificada en diversas modalidades holísticas, incluyendo naturopatía a través de la Academia "Herbal Healer," una Maestría en "Herbalist Degree" de la escuela "The School of Natural Healing," como una "Internationally Certified Aromatherapist" por el "Pacific Institute of Aromatherapy" y como una "Certified Nutritional Counselor" con el "American Association of Nutritional Counselors." Ella escribe, da conferencias y enseña en el uso seguro y eficaz de las hierbas, métodos de preparación de hierbas y aceites esenciales de grado terapéutico, así como una gran variedad de temas de salud. Los artículos de bienestar de Debra han aparecido en publicaciones como "Countryside," "Home School Digest," "The Old Schoolhouse," "The Link" y "An Encouraging Word." Su video, "Whole Grain Cooking," y la colección de recetas, "From Our House To Your House," han ayudado a muchos a preparar alimentos nutritivos y deliciosos platos saludables. En el 2009, fue co-autora de un libro pionero que sirve como un programa de salud familiar y currículo, "Nutrition 101: Choose Life!"

Es la fundadora de "Sharing Great Health Inc.," proveyendo salud natural y soluciones de bienestar usando la naturopatía tradicional y remedios a base de hierbas en conjunto con la nutrición propia y especifica del cuerpo desde 1992. Su página de Internet es www.SharingGreatHealth.com.

PRODUCTOS YOUNG LIVING

Los Aceites Esenciales Young Living ofrecen más de 400 aceites esenciales excepcionales y productos mejorados con aceites esenciales para la salud, el hogar y la felicidad. Estos son solo los que mencionamos en este libro.

Aceites Esenciales

- Australian Blue
- Balsam Fir (idaho)
- Bergamont (bergamota)
- Cistus
- Clary Sage (salvia sclarea)
- Cypress (ciprés)
- Dill (eneldo)
- Eucalyptus blue
- Eucalyptus globulus
- Eucalyptus radiata
- Fennel (hinojo)
- Frankincense (incienso)
- Geranium (geranio)
- German Chamomile (manzanilla alemana)
- Ginger
- Helichrysum (helicrisum)
- Idaho Balsam Fir (abeto balsámico de Idaho)
- Jasmine (jazmín)
- Lavender (lavanda)
- Lemon (limón)
- Marjoram
- Melissa (melisa)
- Myrrh (mirra)
- Myrtle (arrayán)
- Nutmeg (nuez moscada)
- Ocotea
- Palo Santo
- Patchouli (pachuli)
- Peppermint (hierba buena)
- Ravensara
- Roman Chamomile (manzanilla romana)
- Rose (rosa)
- Rosemary
- Rosewood (palisandro)
- Sandalwood (sándalo)
- Spikenard (nardo)
- St. Marie's Lavender
- Tangerine (tangerina)
- Thyme (tomillo)
- Tsuga (tuya)
- Wintergreen (gaulteria)
- Ylang Ylang

Mezcla de Aceites Esenciales

- 3 Wise Men
- Abundance
- Aroma Life
- Aroma Siez
- Believe
- Brain Power
- Di-Gize
- Endoflex
- En-R-Gee
- Exodus II

Forgiveness
Gentle Baby
Joy
Melrose
PanAway
Peace & Calming
Purification
Raven
R.C.
Stress Away
Surrender
Thieves
Tranquil
Trauma Life
Valor

Otros Productos

AlkaLime
Allerzyme
Animal Scents Ointment
Balance Complete
Blue Agave
BLM
Cinnamint Lip Balm
ClaraDerm Spray
Comfortone
Core Essentials
Core Supplement
Detoxzyme
Essentialzyme
Genesis Lotion
Inner Defense
Juva Cleanse
JuvaPower
KidScents Bath Gel
KidScents Lotion
KidScents MightyVites Chewable Tablets
KidScents MightyZymes Chewable Tablets
KidScents Shampoo
KidScents Tender Tush Ointment
Lavaderm Cooling Mist
Lavender Hand and Body Lotion
Life 5 Probiotic
MultiGreens
NingXia Red
Omega Blue
Ortho Sport Massage Oil
PD 80/20
Prenolone+Body Cream
Pure Protein Complete
Relaxation Massage Oil
Rose Ointment
Thieves Foaming Hand Soap
Thieves Hand Sanitizer
Thieves Lozenges
Thieves Toothpaste
Thieves Mouthwash
Thyromin
True Source
V-6 Enhanced Vegetable Oil Complex

ORDENAR PRODUCTOS YOUNG LIVING

1. Hacer una lista de los productos que quisieras comprar.
2. Tener una tarjeta de crédito o débito o cheque al alcance.
3. Llame a Young Living al 1-800-371-2928 o ir en línea a www.youngliving.com para colocar su orden. Debe tener el número de Registrador y/o Patrocinador. Esta es la persona que compartió este libro contigo o quien primero lo introdujo a los Aceites Esenciales Young Living.
   - Para pedidos en línea primero selecciona tu país, luego haces clic en firmar "Sign Up." Sige las indicaciones de la pantalla para entrar su información personal y número del registrador/patrocinador.
   - Puede elegir entre pasar a ser un cliente general y pagar precio por menor o convertirse en un distribuidor independiente comprando al por mayor y ahorrar el veinticuatro por ciento. No hay obligaciones mensuales para compras o reclutamiento y no hay renovación anual de distribuidor independiente; esto puede ser una simple cuenta al por mayor de sus compras personales. Si lo deseas, puede iniciar un negocio con base en el hogar, pero no es requerido.
   - Si seleccionas la opción de cliente, haces tus compras y cuando los productos lleguen, disfrútalos!
   - Si seleccionas ser Distribuidor Independiente, selecciona tu kit. (La autora recomienda el kit de "Everyday Oils," ya que contiene muchos de los aceites mencionados en este libro.) Luego, seleccione Continua Comprando para ordenar otros productos o para completar el proceso de compra.
4. Asegúrate de anotar su nuevo número de cuenta Young Living, número de identificación personal y una contraseña para órdenes futuras. Luego, espera que tus productos lleguen y disfrutalos!

INDEX

Símbolos

3 Wise Men 63

A

Abundance 62
Aceites esenciales grado terapéutico 5, 13-15, 19, 25, 27, 78, 96, 108
Aceite mineral 77
Aceite oliva 20, 22, 24, 29, 40, 41, 58, 61, 77, 79
Aceite portador. Ver Diluir.
Almendra 20, 40, 44, 64-65, 73, 77
    Evening Primrose 52, 64-65
    Jojoba 20, 52, 64-65
    Oliva 20, 23-24, 29, 40-41, 58, 61, 77, 79
    Germen de trigo 27, 43
Aceites fotosensitizantes 31
Aceites sintéticos 19
Agilidad mental 21
Agua 10, 22-24, 29-31, 35-37, 39, 40, 42-45, 48, 49, 52, 55, 57, 59-60, 63, 66-67, 70-72, 74-79, 81, 82 85, 90, 93
Aldehído 17
Alergias 35, 89, 103
Alforfón 84
AlkaLime 35, 59, 75
Alternativa aceite de bebé 77
Alternativa talco de bebé 77
Allerzyme 51
Animales 23, 30
Animal Scents Ointment 40, 64, 77, 110
Antibióticos 38, 61, 105-106
Ansiedad 21
Amor propio 35-36
Ampollas 53, 57, 95-96
Ampollas por fiebre. Ver Herpes labial.
Aplicación
    Difundir 35-37, 41, 43, 45-46, 63, 71-72, 79, 92-93, 105
    Inhalar 21, 36, 45, 51, 58, 64, 66, 70, 74, 77
    Interno 29
    Sobre la piel 16, 21-22, 28, 39, 42-43, 55-56, 62, 73-74, 77-78
Árboles 17
Aroma Life 74
Aroma Siez 50
Aromaterapia 8, 13, 16, 21
    Alemán 13
    Británico 13
    Francés 13
Artritis 89
Association Francaise de Normalisation (AFNOR) 19
Asma 25, 89
Australian Blue 80, 109
Autismo 36-37, 105, 107
Autoestima 36, 38
Axel, Richard, M.D. 21
Azúcar en la sangre. Ver Diabetes gestacional.
Azúcar refinada 85

B

Bacteria 22, 31-32, 47, 56
    Infección 10, 17, 32, 38, 41, 50, 56, 58-63, 74, 78-81, 89, 96
Balance Complete 45, 55, 56, 70, 81, 84
Balance hormonal 29
Baño 10, 24-25, 38, 39, 43-45, 63, 70-71, 74
    Baño de asiento 24, 44, 74
Basil 16, 30, 48, 57
Batido verde 48, 66, 85
Bebes de nalgas 38, 90
Believe 38-39, 69, 100
Bergamont 58, 109

Biblia 2, 17, 86, 119
2 Timoteo 1:7 7
Isaías 44:24 34
Santiago 1:17 17
Lucas 1:41 13
Mateo 6:33 107
Mateo 19:14 89
Salmos 45:8 19
Salmos 103:5 82
Salmos 127:4 90
Salmos 128:3 4
Biotina 64
BLM 49
Blue Agave 29-30, 35, 69, 78, 85
Brain Power 37, 46, 72, 91-92, 106
Bronquitis 89, 104
Brotes 82
Buck, Linda, Ph.D. 21

C
Cabello 26-27
Masaje cuero cabelludo 26-27
Champús 15, 27, 66, 78
Cafeína 33, 40
Calcio 81, 83-84
Calor 18, 22, 28-29
Cándida. Ver Hongos.
Cansancio 39
Cápsulas 29, 38-39, 41, 45, 49, 54-56, 59, 75
Carbohidratos refinados 63
Carbozyme 104
Cardiovascular 21
Cassia 16
Cataplasma cebolla y ajo 79-80
Cedarwood 37, 105
Center for Aromatherapy Research and Education (CARE) 28
Cerebro 21, 67, 87-88, 92, 106
Cesárea 39, 78, 98, 100, 104
Champú 15, 27, 66, 78
Ciática 103-104
Cinnamint Lip Balm 58
Circulación 39, 52
Cistus 52, 57, 78, 98, 109
Claffey, Noel, M.Dent.Sc. 29
ClaraDerm Spray 43-44, 46, 74, 80, 87
Clarity 8, 37
Clary Sage 18, 43, 45, 49, 66-67, 72, 74, 78, 87, 99, 109
Clove 44
Cólico 25-26, 40, 59, 75, 87
Comadrona 16, 38, 49, 76, 83-84, 104
Comfortone 54-55
Compresas 24, 28
Compuestos químicos
Moleculares 17
Efectos de la calor 22
Concentración 21
Condiciones nerviosas 21
Conductos lagrimales obstruidos 40, 89
Congestión 34, 41, 62, 67, 79-80, 89, 96, 105-106
Conjuntivitis 23, 40-41
Cordón umbilical 42, 47, 76, 87, 89, 105
Core Essentials 110
Core Supplements 56, 70, 75, 81-82, 93
Cortes y raspaduras 89
Cosecha 13
Cosméticos 23
Costra láctea 35, 64, 89
Cuidado oral 29
Enjuague bucal 30, 53
Pasta dental 30
Cuidado perineo 42-43
Cultivo 13, 19
Cypress 18, 39, 44, 52, 56-57, 65, 77

D
Desinfectar 45
Dentición 44, 53, 95
Depresión posparto 25, 45, 92
Dermatitis. Ver Eccema.
Desinfectar 45

Deshidratación 17, 81, 85
Destilación 13, 18
Detoxzyme 51, 110
Diabetes gestacional 37, 47-48, 83, 101
Digerir 68, 82-83
Digestión 29, 54, 59, 87
Di-Gize 34, 40, 54, 58-59, 68, 70, 81, 89, 109
Dilatación 49, 91
Dill 30, 40, 104, 109
Diluir 15, 21-22, 27, 34, 37, 40, 42-44, 46, 49-51, 53-57, 59-60, 62-64, 66-67, 72, 77, 80
Dolor de cabeza 17
Dolor de estomago 89
Dolor muscular 50

E
Encimas 83
    Allerzyme 52-53, 110
    Detoxzyme 52, 110
    Essentialzyme 55, 59, 83, 110
    KidScents MightyZymes 37, 74, 83, 110
Eccema 35, 51
Edema 52, 76
El baúl de la salud de la "doctora" mamá 89
Ellis, Sandra, M.H. 71
Emociones 20-21, 36, 88
    Ansiedad 21
    Claridad 21
    Depresión 25, 45, 92
    Estabilizar estado de animo 88
    Miedo 36, 48, 69, 93, 97, 102
    Estrés 13, 32-33, 38, 54, 57, 66, 87
    Trauma 36, 39, 44, 46, 80, 87-88
Embarazo, hipertensión inducido. Ver Presión sanguínea.
Endoflex 95, 109
Energía, aumento 18, 21, 36, 39, 81, 93, 98
Enfermedad mano, pies y boca 52
En-R-Gee 36, 72, 109
Equilibrio pH 89
Estrés 13, 32-33, 38, 54, 57, 66, 87
    Relajación 21, 46, 89, 92
Estrías 10, 55, 64, 87
Estreñimiento 54, 84, 89, 96
Essential 7 Kit 87
Essential Oils Desk Reference (EODR) 27, 58, 80
Eucalyptus Blue 62, 109
Eucalyptus Globulus 41, 60, 109
Eucalyptus Radiata 35, 41, 109
Evening Primrose 52, 64-65
Everyday Oils Kit 111
Exodus II 44, 109

F
Fennel 44, 54, 66-67, 71-72, 87, 100, 104, 109
Fenoles 17
Fiebre 10, 41, 52-53, 57, 60, 69, 95-96, 112
Fiebre de leche. Ver Infección de los senos.
First Aromatic Medicine Congress 11
Flores 17
Forgiveness 36, 110
Frankincense 10, 24, 37, 41-42, 45-47, 50-51, 60, 65, 72, 78, 87-89, 92, 105, 109
Frequencia 18, 20, 88, 92
Frutas 76, 82-84, 86, 90

G
Garganta 17, 23, 49-50, 61, 72, 106
Gases 26-27, 83
Genesis Lotion 58, 64, 110
Genoma humano 21
Gentle Baby 43, 54-55, 63, 68, 73, 77-78, 87, 110
Geranium 39, 42-44, 49, 52, 56, 58, 60, 64-65, 72-73, 76, 109
German Chamomile 52, 77, 109

Ginger 31, 109
Glándula pineal 88
Glándula pituitaria 88
Gluten 106
Gota de Lluvia 27, 58, 80, 104
Granos 82-84
Grapefruit 36
Gripe 89

H
Helichrysum 39, 47, 56-57, 72, 76, 99, 100
Herpes labial 58
Herpes zoster. Ver Varicelas.
Hinchazón. Ver Edema.
Hierro 83
Hipertensión. Ver Presión sanguínea.
Hojas 17, 85
Hongos 22, 31, 63, 96, 104
Humidificador 22

I
ICP 49, 55
Ictericia 58
Idaho Balsam Fir 37, 45, 49, 50, 100
Implantes rectales 30, 104
Indigestión 59, 75
Infección 10, 17, 32, 38, 41, 50, 56, 58-63, 74, 78-81, 89, 96
Infección de los senos. 59
Infección por hongos 63
Infinity Resources 18
Ingestión 13, 29, 31
Inner Defense 41, 49, 56, 63, 110
Insectos
    Picadas 17, 73-74, 89
    Repelente de insectos 73
International Organization for Standardization (ISO) 19
Intestinos 61, 85

J
Jabón 23, 38, 66
Jasmine 45, 71-73, 99, 109
Joy 35, 45-46, 54, 57, 66-68, 87, 92, 100, 110
Juva Cleanse 37, 110
JuvaPower 70, 81-82, 104, 110

K
Ketones 103-104
KidScents Bath Gel 38, 110
KidScents Lotion 64, 110
KidScents MightyVites 37, 54, 81, 96-97, 110
KidScents Shampoo 110
Kits de nacimiento 87

L
Lactar. Ver Lactancia.
Cafeína 33, 40
Cólico 25-26, 40, 59, 75, 87
    Desintoxicar 45
Dieta 33, 37, 40, 48, 59, 61, 64, 66, 82, 93, 101-102
    Peso 20, 75, 82, 85, 94, 101
Lactancia 60, 63, 66-67, 75
    Conductos de leche obstruidos 59
LaPraz, Claude, M.D. 8, 11
Lavaderm Cooling Mist 43, 74, 110
Lavandin 16
Lavender 18, 24-25, 35, 39-44, 46-48, 51-52, 55-58, 60-61, 63-68, 70-74, 76-78, 80, 87, 89, 91-93, 95, 98, 100, 104-105, 109
Lavender Hand & Body Lotion 52, 66, 110
Llanto 40, 67
Leche cruda 84
Leche de cabra 75
Leche materna 41
Ledum 49, 60-62
Legumbres 83-84
Lemon 24, 30-31, 36, 52-53, 65, 70, 87, 89, 109
Life 5 Probiotic 38, 54, 56, 63, 104, 110
Ligamentos tirón 103

Limpiadores químicos 23
Limpieza 30, 37, 43, 45-46
Loción 51, 66

M
Manos 7, 21, 24-26, 41, 46-47, 51, 53, 66-68, 70, 75, 91, 95-96
Uñas 24
Mantequilla de nuez 83
Marjoram 50, 109
Masaje 13, 25-28, 39, 44, 46, 49-50, 52, 68, 72, 92
Ortho Ease Massage Oil 39
Mezcla de aceites masaje retención de agua 52
Master Formula Hers 81
Mastitis. Ver Infección en los senos.
Melissa 58, 70, 109
Mercurio 37
Miedo 36, 48, 69, 93, 97, 102
Miel 29, 35, 66, 76, 85
Migraña 103
Moho 22, 31, 89
Mojado de cama 69
Mountain Savory 53, 95
Mucosidad 22, 89
MultiGreens 70, 81, 110
Myrrh 10, 24, 38, 42-44, 46, 47, 57, 73, 87, 105, 109
Myrtle 57, 109

N
Nacimiento
Bebé cuidado después 46
Mamá cuidado después 43
Nacimiento en agua 70
Nariz 10, 20, 23, 35, 40-42, 51, 61, 64, 68, 70, 72, 96, 106
Nausea 10, 13, 70, 71, 81, 93
Nauseas matutinas. Ver Nausea.
Neat (sin diluir) 15, 22, 27, 31, 44, 49-51, 53-56, 59-60, 62-64, 66-67, 69
NingXia Red 10, 35-39, 41, 46-48, 50, 52, 55-56, 58-59, 66, 70, 74-75, 80-81, 93, 95-97, 102, 110
Nueces 82-84
Nutmeg 78, 109
Nutrición 8, 10, 33, 46, 54, 56, 70-71, 75, 81-83, 90, 103-104, 108
Nutrition 101: Choose Life! 37, 64, 86, 108, 119

O
Oídos
Infecciones 23, 61, 62
Presión del aire en el vuelo 62
Ojos 22, 26, 35, 40-42, 44, 46, 58, 94
Conducto lagrimal bloqueado 41
Omega Blue 39, 69, 75, 104, 110
Orange 31, 39, 92, 97
Oregano 30, 49, 57, 80
Ortho Ease, aceite de masaje 39
Orzuelo 23, 40

P
Palo Santo 49-50, 109
Parto y nacimiento 38, 46, 47, 71, 99, 100
PanAway 44, 50, 87, 89, 94, 100, 110
Patchouli 63, 65, 109
Plata Coloidal 60-61
PD 80/20 70, 81, 110
Peace & Calming 8, 25, 36-37, 43, 46-47, 62-63, 67-72, 79-80, 87, 89, 91-92, 97
Pechos adoloridos e inflamados 67, 73
Peppermint 10, 34, 36, 38, 49, 51, 54-57, 59-60, 66, 70, 72-74, 89-90, 94, 97, 99-100, 104, 106, 109
Pérdida del embarazo 32
Peso 20, 75, 83, 85, 94, 101
Petroquímicos 15, 22, 70

Piel 64
Costra láctea 35, 64, 89
Sarpullido del panal 77
Eccema 35, 51
Quemadura de sol 15, 31
Pies 10, 24
Uñas 24
Placenta 32-33, 47, 73, 90, 94
Placenta previa 33, 74
Plantas 4, 15, 17-18, 20
Power Meal 48, 75, 104
Preclampsia. Ver Presión sanguínea.
Premio Nóbel por Fisiología o Medicina 21
Prenolone Plus Body Cream 55, 110
Present Time 35-36, 69
Presión sanguínea 74, 103-104
Probiotic. Ver Life 5 Probiotic.
Productos lácteos 61-62, 84
Promover lazos con bebé 87-88
Proteína 56, 74-75, 82-84, 86
Pulmonía 8, 89
Pure Protein Complete 48, 75, 85, 104, 110
Purification 22, 24, 53, 73, 78, 87, 89, 95-97, 110

Q
Quemaduras 17, 89, 93
Químicos 15, 17-18, 23, 32, 37, 77
Quiropráctico 94

R
Raíces 17
Raven 80-81, 89, 110
Ravensara 58, 80, 109
R.C. 10, 41, 60, 68, 80, 89, 95-96, 106, 110
Recetas 14, 30, 61, 86, 108
Reference Guide for Using Essential Oils 27
Régimen dietético 71
Release 93
Resfriado 22, 80, 89
Resistencia. Ver Cansancio.
Respiratoria 21
Infección 41, 60, 78-80
RSV 95, 102
Retención de agua. Ver Edema. 52, 76
Roman Chamomile 40, 48-49, 51, 57-58, 72, 74, 79-80, 109
Rose 18-19, 28, 35, 38-39, 43, 45, 60, 64-65, 73-74, 77, 88, 92, 100, 109
Rosemary 16, 39, 41, 109
Rose Ointment 28-29, 39, 49, 52, 55-56, 58, 64, 73-74, 76-77, 110
Rosewood 39, 52, 63, 65, 78, 109

S
Sandalwood 37, 49, 58, 70, 78, 81
Sangrado 33, 39, 42, 76
Arterial 16
Externo 76
Interno 76
Vaginal 16, 76
Sarampión 80
Sarpullido del pañal 77-78
Seguridad 11-14, 61
Semillas 17, 82-85
Sensitividad 15
Aceites químicamente adulterados 15
Petroquímicos 15, 22, 70
Luz del sol 15
Sesqui terpenos 17
Sharing Great Health 108
Sin diluir. Ver Neat.
Sinusitis 103-105
Sistema inmunológico 25, 29, 87, 89, 95
Sistema nervioso 57, 87
Spearmint 10
Spikenard 57, 109
Stevia 85
Stewart, David, Ph.D. 104
St. Marie's Lavender 24, 61, 73, 109

Super C 50
Surrender 36, 69, 93, 110

T
Talco 77
Tangerine 31, 39, 52, 64, 109
Té para shock 76
Tender Tush Ointment 51, 55, 65, 77-78, 110
Terpenos 17
Thieves 22, 30, 41, 44, 46, 49, 53, 55-57, 59-62, 66, 70, 79-81, 89, 95-96, 105-106, 110
Thieves Foaming Hand Soap 110
Thieves Hand Sanitizer 110
Thieves Lozenges 50, 110
Thieves Mouthwash 50, 53, 110
Thieves Spray 50
Thieves Toothpaste 110
Thyme 58
Thyromin 45, 95
Toallitas de bebé 77
Tónicos del útero 78
Torticolis 94
Tos 34, 41, 60, 78-80, 89, 96
Tranquility 63
Trauma 36, 39, 44, 46, 80, 87-88
Trauma Life 32, 39, 46, 77, 80, 87, 100
True Source 81-82
Tsuga 76

U
Uñas 24
Unción 46, 108
    Después del nacimiento 46
Ungüentos caseros 28, 65, 91
Ungüento pie de atleta 62
Unidad de cuidados intensivos neonatal 54
Uso interno 29

V
Varicelas 57, 80
V-6 Enhanced Vegetable Oil Complex 110
Valor 37-38, 46, 50, 55-56, 63, 68, 69, 72-73, 85, 87, 89, 91-92, 94, 97-98, 100
Vegetales 75, 82-84, 86, 90
Verrugas 105
Virus 22, 31, 41, 47, 49, 53, 57, 79-80, 89, 95-96
Vita Flex 23, 72
Vitaminas 37, 81, 86, 90, 96
Vomitar 81

W
Weber State University 22, 31
Wintergreen 57

Y
YL. Ver Young Living Essential Oils.
Ylang Ylang 45, 72, 78, 92, 99, 109
YLTG (Young Living Therapeutic Grade) 15, 66
Young Living Essential Oils (YL) 5, 7, 18, 33
Young Living Essential Oils cultivo aromático 19

Z
Zabila. Ver Sandalwood.

Para obtener copias adicionales de Bebés Tiernos y otros libros por Debra Raybern, por favor visita la página de Internet del editor en www.GrowingHealthyHomes.com.

"Nutrition 101: Choose Life!"

Debra Raybern, co-autora de este tres en uno, libro de nutrición familiar y programa de salud para todas las edades presenta los principales sistemas del cuerpo, como funcionan, sus problemas de salud comunes, los beneficios de la buena comida y las consecuencias de las malas comidas. Basado en la Biblia y repleto de actividades en la práctica, proyectos de arte y ciencia y casi ochenta recetas fáciles de hacer, este programa enseña y refuerza el porqué de lo que debemos comer. Las 448 páginas del libro incluyen una completa guía de referencia llena de factores de nutrición, tablas, consejos prácticos y un exhaustivo índice y sirve como un recurso constante para mejorar la salud y vida abundante. Disponible en un CD-ROM, libro o paquete combinado.